팬덤 3.0

BOOK
JOURNALISM

팬덤 3.0

발행일 ; 제1판 제2쇄 2023년 5월 1일
지은이 ; 신윤희 발행인·편집인 ; 이연대
CCO ; 신아람 에디터 ; 소희준
제작 ; 허설 지원 ; 유지혜 고문 ; 손현우
펴낸곳 ; ㈜스리체어스 _ 서울시 중구 한강대로 416 13층
전화 ; 02 396 6266 팩스 ; 070 8627 6266
이메일 ; hello@bookjournalism.com
홈페이지 ; www.bookjournalism.com
출판등록 ; 2014년 6월 25일 제300 2014 81호
ISBN ; 979 11 89864 43 9 03300

BOOK
JOURNALISM

팬덤 3.0

신윤희

차례

프롤로그　　　　　팬덤, 프로듀서가 되다

아이돌 산업이 변화하고 있다. 과거에는 전적으로 산업의 몫이었던 아이돌 그룹 제작과 기획에 팬덤이 참여한다. 팬덤은 점점 참여 영역을 넓히고 있다. 엔터테인먼트 업계도 팬의 역할을 강조하는 새로운 형태의 스타 시스템을 만들고 있다. 팬이 아이돌 기획에 참여하고, 활동에서 나오는 수익을 분배받는 모델도 등장했다. 엔터테인먼트 스타트업 스노우엠SnowM은 블록체인 기술을 기반으로 아티스트, 기획사와 함께 콘텐츠를 만들고 수익을 나누는 소셜 프로듀싱 플랫폼 '스노우 메이커스'를 론칭한다고 밝혔다. 팬들이 아이돌 제작의 모든 단계에 참여하고 보상을 받는 모델이다.[1] 일반 유저들이 콘텐츠를 즐기면서 참여하고, 마케팅에서 서비스, 유통, 공연, 커머스까지 모든 단계를 만들어 가는 것이다.[2]

새롭게 등장하고 있는 소통형 콘텐츠들은 팬덤의 적극적인 참여를 활용한다. 팬덤은 단순 소비자에서 참여자를 거쳐, 이제 수익을 내는 경영자가 될 수 있다. 이러한 구조의 변화는 팬덤의 변화에 기인하고 있다. 팬덤이 아이돌 기획에 적극적으로 참여하기 시작하면서 산업이 이를 받아들이고 활용하는 차원에서 새로운 플랫폼이 개발되고 있다.

팬덤은 진화했다. 현재 팬덤의 모습은 과거와는 사뭇 다르다. 그 변화가 선명하게 드러나기 시작한 것은 2017년 방영된 엠넷Mnet의 서바이벌 프로그램 〈프로듀스 101〉 시즌2부터

였다. '당신의 소년에게 투표하세요'라는 슬로건을 내세워 시청자의 투표로 11명의 데뷔 멤버를 결정하는 이 프로그램은 독특한 현상을 만들어 냈다. 프로그램이 방영되는 동안 서울의 한 커피 전문점에서는 특정 연습생에게 투표하고 이를 인증하면 커피를 무료로 받을 수 있는 이벤트가 열렸다.[3] 연습생이 속한 기획사에서 실시한 프로모션처럼 보이지만, 사실은 한 팬이 개인 비용으로 진행한 홍보였다. 〈프로듀스 101〉 시즌2의 마지막 생방송 당일 온라인 커뮤니티에는 각종 후기가 올라왔다. 지인들에게 직접 기프티콘을 보내며 투표를 유도했다는 이야기부터 편의점 아르바이트생에게 음료수를 사 주고 휴대폰을 빌려 문자 투표를 했다는 이야기까지, 각자 자발적인 홍보 전략을 펼친 팬들의 후기다. 마지막 생방송은 열띤 화제 속에서 총 120만 건의 투표수를 기록했고, 이를 통해 데뷔한 신인 그룹 '워너원WANNA ONE'은 데뷔 앨범의 초동 판매량만 41만 장에 달하는 대형 아이돌 그룹이 되었다. 투표를 통해 내 손으로 직접 국가 대표 아이돌을 만드는, 이른바 국민 프로듀서의 시대가 열린 것이다.

〈프로듀스 101〉 시즌2는 한국의 아이돌 업계와 팬덤에 큰 반향을 일으켰다. '국민이 직접 뽑는 아이돌'이라는 콘셉트로 방영된 미디어 콘텐츠는 수용자를 '국민 프로듀서'로 호명했고, 수용자는 프로듀서로서의 정체성을 가지고 아이돌을 직접 기획하고 홍보함으로써 응답했다.[4] 그 결과 〈프로듀스 101〉 시즌2는 2017년 가장 영향력 있는 TV 콘텐츠(비드라마 부문)로 기록됐고[5], 워너원은 데뷔와 동시에 각종 음원 차트 1위를 휩쓸었다. 이들은 신인으로서는 이례적으로 서울의 대형 돔 구장에서 데뷔 쇼케이스를 개최하며 약 2만 개의 객석을 모두 채웠다.[6] 데뷔 앨범은 역대 아이돌 데뷔 앨범 초동 판매량 1위를 기록했고, 데뷔 곡은 음악 방송 15관왕을 차지했다.[7] 2017년 주요 연말 시상식에서는 신인상 및 남자 그룹상 등을 휩쓰는 성과를 거뒀다.[8] 2018년 5월까지도 '보이 그룹 브랜드 평판' 1위와 '보이 그룹 개인 브랜드 평판' 1위부터 6위까지를 차지했으며[9], '워너원 월드 투어 콘서트'의 서울 티켓 6만 석이 10분 만에 매진되는 등 엄청난 규모의 팬덤을 유지했다.[10] 그룹의 치솟는 인기는 각종 예능 프로그램 출연과 은행, 화장품, 식품 등 20개 이상의 광고 모델 발탁으로 증명되었고[11], 매니지먼트사 CJ E&M은 거대 기획사 반열에 올랐다.[12] '아이돌이 출연할 수 있는 예능이 궁금하다면 워너원의 출연 목록만 봐도 충분히 짐작 가능하다'는 기사[13]의 언급처럼 워너원의 인기는 대중음악계의 큰 사건이었다.[14]

'워너원 현상'은 아이돌 그룹을 이해하는 새로운 방식을 제시하고 있다. 팬들의 직접 투표를 통해 아이돌 그룹이 만들어지고, 여러 소속사에 속한 멤버들이 프로젝트 그룹으로 함께 데뷔하는 것은 과거에는 볼 수 없었던 이례적인 사건이었다. 프로젝트 그룹 전략은 I.O.I를 탄생시킨 〈프로듀스 101〉 시즌1을 통해 가능성을 확인한 후 시즌2에서 신드롬을 일으켰다. 특히 프로그램 종료 후에도 팬들은 워너원으로 데뷔하지 못한 연습생들의 조합을 기획하고 광고해 또 다른 프로젝트 그룹 'JBJ'를 탄생시켰다. JBJ는 프로그램 외부에서 팬들의 지지를 통해 아이돌 그룹이 결성되었다는 점에서 〈프로듀스 101〉 시즌1보다 확장된 영향력을 보여 주는 사례다.

팬덤의 형성 또한 이례적이었다. 이들은 자신이 지지하는 연습생 후보를 데뷔시키기 위해 홍보 활동을 벌이고 소속사에 적극적인 요구를 한다. 다른 사람들의 투표를 독려하는 '영업'도 서슴지 않는다. 그러다 보니 프로젝트 그룹이 만들어지는 과정에서부터 팬덤이 형성된다.

그렇다면 팬덤의 문화는 왜, 어떻게 바뀌었는가? 이 책은 그 질문에 대한 답이다. 팬덤은 시간의 흐름 속에서 사회·경제·문화적 조건과 함께 구성되며 변화해 왔다. 그 구성 과정을 살피면 새로운 팬덤의 특성을 밝힐 수 있다. 이는 오늘날 대중문화 산업을 주도하고 있는 아이돌 팬덤 현상의 위치를 분명히 이해하는 일이기도 하다.

〈프로듀스 101〉 시즌2 마지막 생방송을 통해 워너원의 데뷔 멤버 11인이 최종 결정되고 1년 후, 엠넷은 또다시 '국민 프로듀서'들을 불러들였다.

"국민 프로듀서님, 여러분이 선택해 주신 얼굴입니다. (I.O.I 와 워너원 멤버들 차례로 등장) 국민 프로듀서님의 선택은 언제나 옳았습니다. 이제 새로운 투표가 시작됩니다. 국민 프로듀서님, 앞으로도 잘 부탁드립니다."[15]

국민 프로듀서로서의 일은 끝나지 않았다. 미디어 산업은 다시 수용자를 투표로 불러들였다. 그렇게 시작된 〈프로듀스 48〉 시즌3는 새로운 프로젝트 그룹 '아이즈원'을 탄생시켰다. 그리고 2019년 4월, 〈프로듀스 101〉 시즌4가 시작되었다. 팬들의 투표로 데뷔가 결정되는 프로젝트 그룹 형태는 앞으로도 지속될 가능성이 크다. 프로젝트 그룹이 대중음악 아이돌 시장의 주류로 자리 잡은 것은 팬덤이 여기에 호응했다는 뜻이다. 프로젝트 그룹은 앞으로도 계속 등장하고, 아이돌 산업의 생태계 또한 계속해서 바뀔 것이다.

나는 팬으로서 프로젝트 그룹과 3세대 팬덤 문화에 다가가기 시작했다. 오랜 시간 팬덤 문화를 지켜본 팬으로서의 열정이 팬덤 연구를 이끌어 주었다. 최대한 많은 팬들을 만나 대화를 나눴고, 이 책은 바로 그들의 이야기로 채워졌다. 내가 만난 팬들은 참여를 통해 콘텐츠의 공백을 채우며 의미

를 만들어 가고 있었다. 새롭게 등장한 팬덤의 특성이 앞으로
의 소비자와 산업이 나아갈 방향을 보여 줄 것이라고 믿는다.

팬덤 3.0

변화의 조건들

팬덤은 팬들이 만드는 문화 현상이다. 문화가 사회의 변화에 따라 새롭게 만들어지듯이, 팬덤 역시 미디어의 발전과 함께 변화해 왔다. 이런 관점에서 팬덤을 문화 구성체cultural formation 로 이해할 수 있다. 문화 구성체는 특정한 문화 실천을 중심으로 형성된 구조를 뜻한다. 구성 주체들의 문화적 실천과 거기에서 발생한 문화적 효과까지 포함한다.

문화 구성체는 끊임없이 변화한다. 한국 아이돌 팬덤 역시 지속적으로 변화해 왔고, 크게 구분되는 변화 지점들을 경계로 세대를 구분할 수 있다. 문화 구성체의 변화에는 내적 요인과 외적 요인, 그리고 두 요인의 관계가 영향을 미친다. 따라서 팬덤의 세대 변화를 읽기 위해서는 우선 팬덤이라는 문화 구성체를 이루고 있는 요소를 파악해야 한다.

미디어 학자 헨리 젠킨스Henry Jenkins는 미국 텔레비전 드라마 〈스타 트렉Star Trek〉을 분석하면서 팬들이 각자 자신의 상황과 이해에 맞도록 텍스트를 전유하고 다시 읽기를 시도한다고 보고, 팬덤 공동체의 실천을 상세히 기술했다.[16] 가장 능동적인 수용자인 팬덤은 다섯 가지 측면에서 중요한 특징을 지닌다. 특정한 수용 방식, 비판적인 해석, 소비자 행동주의, 문화적 생산의 토대, 대안적 사회 공동체다. 젠킨스가 분석한 팬덤의 이러한 다섯 가지 특징에 셀러브리티 팬덤의 특징을

더하면 팬덤 문화 구성체의 내적 요인을 구분하고, 팬덤의 변화를 읽을 수 있다.[17]

첫째, 팬들은 특별한 수용 양식을 갖는다. 일반 수용자보다 더 세밀하고, 집중적이고, 중복적인 시청 형태를 보이며 이를 통해 텍스트에 대한 감정적 가까움과 비판적 거리를 동시에 유지한다. 텍스트를 단순히 소비하는 것에 그치지 않고, 다른 팬들과 의견을 공유하고 토론함으로써 의미를 넓혀 나가는 것이다. 둘째, 팬들은 비판적 해석 공동체를 이루고 있다. 이들은 특정 팬덤의 구성원이 되기 위해서 그 공동체가 선호하는 해독 방식에 대한 학습 과정을 거친다. 이를 통해 원작 텍스트가 드러내지 못했던 사안과 잠재성을 발견하기도 하고, 원작을 넘어서는 메타 텍스트meta-text를 구축한다. 셋째, 이들은 소비자 행동주의의 토대를 마련한다. 팬들은 원작 텍스트의 내용 전개를 스스로 판단하고, 그에 따라 제작자에게 피드백을 요구하거나 시리즈 연장을 요구하는 등 자신의 의견을 적극적으로 표현하고 권리를 주장한다. 넷째, 팬덤은 자신만의 고유한 문화적 생산을 통해 미학적 실천을 한다. 원작에서 세계관이나 캐릭터와 같은 기초 재료를 끌어와서 고유한 미학적 기준으로 팬 텍스트를 생산하는 것이다. 이 과정에서 팬덤은 자신만의 장르를 만들게 되고, 대안적인 생산과 분배, 전시, 그리고 소비 형태를 개발하게 된다. 다섯째, 대안적인 사회 공동체로서의 가능성을 갖는다. 팬덤은 오롯이 자신들이 선호하는 미디어 텍스트를 중심으로 모인 소비자 공동체다. 개인의 차이를 인정하는 동시에, 팬 공동체의 이익을 위해서 민주적으로 공동체 문화를 형성한다.

여기에 더해 팬덤의 구성 주체 차원에서도 변화를 살필수 있다. 스타와의 관계 설정 역시 중요한 내적 변화 요소다. 팬덤이 주로 활동하는 매체인 디지털 미디어와 아이돌을 둘러싼산업의 변화는 팬덤을 구성하는 '외적 조건'으로 볼 수 있다.

서태지, H.O.T., 동방신기, 그리고

한국 아이돌 그룹들은 종종 세대로 구분된다. 1992년 데뷔한서태지와 아이들을 시작으로 H.O.T., 젝스키스 등은 1세대 아이돌로, 2003년도 말에 데뷔한 동방신기부터 2세대 아이돌로구분하는 데에는 큰 이견이 없는 것으로 보인다.[18] 그러나 3세대 아이돌 구분에는 비교적 다양한 견해가 있다.[19] 2세대 이후부터는 사실상 아이돌의 단절기라고 불릴 만한 시기도 없었고, 단순히 아이돌의 기획 콘셉트나 팬덤의 규모를 기준으로세대를 구분하는 데에도 무리가 있기 때문이다.

아이돌 그룹은 양적으로 증가한 것은 물론, 멤버 수가점점 늘어나거나 서바이벌 프로그램을 통해 데뷔하게 되는등 구성 방식도 다양해졌다. 이러한 변화는 대중음악의 생산 방식뿐만 아니라, 소비 양식의 전반적인 변화와 맞물려 일어났다.[20] 아이돌을 소비하는 팬덤도 세대로 구분할 만한 자체적인 변화를 겪어 왔다. 이 변화를 통해 과거와 달라진 현시대 소비자의 특징을 알 수 있다. 먼저 1세대에서 2세대 팬덤으로의 변화를 살펴보자.

① 팬덤 구성 주체의 변화; 청소년에서 20대, 30대로

눈에 띄는 지점은 팬덤의 확장이다. 전통적으로 아이돌 팝의 수용자들은 10대로 인식되었지만, 2007년 원더걸스가 데뷔한 뒤로 20대와 30대, 그 이상 세대까지 팬덤이 널리 분포하게 되었다. 이 시기 팬덤 문화는 '삼촌 팬', '누나 팬', '이모 팬' 등의 신조어와 함께 사회적 이슈로 다뤄졌고, 여기에 대한 논의도 확장되었다.[21] 이로 인해 아이돌과 팬덤에 대한 거부감이 줄어들었고, 결과적으로 아이돌 팝 문화 자체가 더 넓은 사회적 맥락에 놓이게 되었다.

② 팬과 스타의 관계; 무조건적인 추종자에서 '고객님'으로

1세대와 2세대의 세대 구분을 2PM 팬덤의 사례로 분석한 연구는 팬들의 자기 명명이 '고객님'으로 바뀐 데에 주목한다. 과거 1세대 팬덤이 스타에 대한 충성도 높은 '추종자'였던 것과 비교하면, 2세대 팬덤은 필요에 따라 스타를 향유하며 스

타에게 자신들이 바라는 '고객 감동'을 요청할 수 있는 권리를 가진 소비자가 되었다.[22] 즉 1세대에 비해 2세대에서는 팬덤의 권력이 확장된 셈이다. 이는 소비자로서의 권력 확장이다.[23] 이에 따라 스타를 대하는 태도가 심리적인 지지에서 '조공 문화'와 같은 금전적 지원으로 바뀌기도 했다.

③ 팬 개인의 소비 방식 변화; 그룹 내 관계성에서 비슷한 그룹 간의 관계성으로

팬들의 스타에 대한 애정에도 변화가 있었다. 팬덤은 셀러브리티에 대해 감정적인 근접성과 비판적인 거리를 동시에 가진다. 1세대 아이돌을 좋아했던 팬들은 스타에 대한 배타적인 충성과 애정을 기반으로 오직 그룹 내의 관계성만을 선호했다. 반면 그 이후의 팬들은 스타에 대해 중첩적인 애정을 보인다.[24] 비슷한 시기에 데뷔한 다른 아이돌 그룹에도 동시에 애정을 보이는 것이다. 이들은 타 그룹과의 경쟁적 관계보다는, 유사한 시기에 데뷔한 그룹의 팬덤과 '사돈'이나 가족처럼 화기애애한 팬덤 관계를 유지한다.

스타를 대하는 태도 역시 달라졌다. 기존 팬덤 문화에서의 팬 실천은 스타를 향해 무조건 열광하는 것이었다. 그에 따라 1세대 팬덤은 스타의 모든 면모를 자기표현을 위한 하위문화로 받아들이고 동일시했다. 이는 곧 팬덤 공동체에서 선호하는 해석 방식을 학습하는 것이기도 하다. 스타의 스타일을 무조건 따라 하거나 스타의 행동을 조건 없이 신뢰하는 것이 그 예다. 반면 2세대 팬덤부터는 태도의 기준점을 스타의 이미지 관리에 둔다.

④ 집단적인 팬 실천 방식의 변화; 배타적 충성에서 중첩적 애정으로

1세대 팬덤은 경쟁 스타와의 대립을 통해서 스타를 의미화했다. 오직 경쟁 스타를 이기는 것이 스타의 가치를 만드는 일이었던 셈이다. 그러다 보니 이들은 스타에 대해 배타적인 충성과 애정을 보였다. 2세대로 넘어가면서 팬덤은 우상으로서의 스타를 넘어 스타의 리얼리티를 알고 싶어 하기 시작했다. 연예인으로서 스타의 성공을 지원하는 '서포트 문화'를 만들어 내기도 했다. 스타가 엔터테인먼트 시장에서 생존할 수 있도록 돕기 위한 전략이었다.[25] 그 과정에서 비슷한 콘셉트의 그룹과 호혜적인 관계를 맺는 등 중첩적인 애정을 보이기도 한다.

⑤ 소비자 행동주의의 토대; 충돌과 갈등에서 협력과 봉합으로

팬덤이 그동안 시간의 흐름 속에서 가장 큰 변화를 보인 부분은 소비자 행동주의 측면이다. 이 부분은 팬이 산업이나 방송과 관계를 맺는 방식으로도 볼 수 있다. 과거 서태지와 아이들

의 팬덤은 능동적인 수용자의 행위를 사회 운동의 지위로까지 이끌어 냈다.[26] 이 과정에서 팬덤은 산업, 즉 기획사와 충돌하고 갈등했다. 하지만 팬덤 주체가 20대로 넓어지면서 성인 팬이 대거 유입된 이후에는 팬덤과 산업의 권력 싸움에 변화가 생겼다.[27] 스타의 이미지 관리와 상업적 성공을 위해 산업과 협력하고 갈등을 봉합하기 시작한 것이다.[28]

⑥ 문화 생산의 형식; 능동적 해독에서 소비·생산·유통으로
디지털 미디어의 발전과 함께 팬들이 아이돌이라는 콘텐츠를 즐기는 방식도 변화했다. 매스 미디어를 중심으로 형성된 기존 팬덤은 서태지 팬덤이 그랬듯이 음악과 퍼포먼스를 적극적으로 해독하는 능동성을 보였다.[29] 반면 인터넷과 SNS가 발달하면서는 팬들이 직접 팬픽(팬이 쓰는 소설), 팬 아트, 팬 생산 비공식 굿즈, 외국어 자막 등 다양한 2차 생산물을 만들어 내고 있다. 이와 함께 디지털 기술의 발달은 해외 팬덤을 키우고 글로벌 한류 현상을 만들기도 했다.

⑦ 대안적 사회 공동체; 또래·지역 중심의 공동체에서 웹 중심의 친밀한 연대로
1세대 팬덤은 또래 집단을 기반으로 팬 개인 사이의 관계를 통해 공동체를 형성했다. 또한 거주 지역을 중심으로 지역별

팬클럽이 형성되는 경우가 많았다. 팬덤이 공동체를 구성하기 위해서는 취향을 공유하고 즐길 수 있는 자신들만의 공간이 필요한데, 그 공간이 또래 집단이나 지역 공동체였던 셈이다. 반면 디지털 미디어가 발달한 이후에는 웹 커뮤니티가 그러한 공간의 역할을 할 수 있게 되었다. 계급과 비교적 상관없이 다양한 사람들이 취향을 기반으로 모이는 유토피아적인 공동체가 형성될 수 있었던 이유다. 또래 집단과 지역을 중심으로 형성되던 연결은 웹을 통해 전국으로, 해외로 퍼지게 되었다. 웹상에서의 만남은 비교적 친밀한 연대를 구성해 오프라인과 온라인 중심의 친목 집단을 만드는 '파·팸 문화'로 이어졌다.

3세대 팬덤의 등장

팬덤 2세대와 3세대의 가장 큰 차이는 팬들이 아이돌 생산의 기획 단계에 적극적으로 참여한다는 점이다. 이러한 측면에서 팬들의 직접적인 투표나 기획을 통해 아이돌이 형성되는 프로젝트 그룹의 팬덤을 3세대 팬덤, 혹은 팬덤 3.0이라고 부를 수 있다. 이 경우 팬덤과 아이돌 그룹이 동시에 만들어진다는 점이 기존 팬덤과의 가장 큰 차이점이다.

　　팬덤 3.0의 대표적 사례이자 출발점인 워너원 팬덤을 통해 3세대 팬덤의 구체적인 변화를 읽을 수 있었다. 워너원 팬덤이 활동하는 인터넷 커뮤니티를 관찰하고 팬들을 심층 인터뷰

했다.[30] 워너원[31]은 〈프로듀스 101〉 시즌2를 통해 데뷔한 남성 아이돌 그룹으로, 연습생 시기부터 데뷔 후까지 팬덤 규모가 커지는 과정 전체를 겪은 그룹이다. 3세대 팬덤의 특징과 그 특징이 만들어지는 과정을 집약적으로 보여 준다고 할 수 있다.

프로젝트 그룹의 시초는 2016년에 결성된 I.O.I이지만, 팬덤의 규모는 워너원이 더 크기 때문에 프로젝트 그룹 팬덤의 특성이 더 명확히 드러난다. 또한 I.O.I는 일종의 학습적 선례로서 제시되어 워너원과 그 팬덤을 구성하는 데에 참고가 되었다. 워너원을 비롯한 〈프로듀스 101〉 시즌2 파생 그룹의 팬덤을 3세대 팬덤의 본격적인 시작으로 볼 수 있는 이유다. 팬덤 3.0은 2017년 〈프로듀스 101〉 시즌2 이후 폭발적인 규모로 탄생한 워너원 팬덤을 시작으로 본격적으로 형성된 프로젝트 그룹의 팬덤 문화라고 정의할 수 있다.

워너원의 팬들은 자신이 가장 애정을 쏟는 멤버인 '최애'를 데뷔시키기 위한 일련의 과정을 겪었다. 프로젝트 그룹의 특성상 활동 종료일이 정해져 있기 때문에, 데뷔한 후에도 활동 기간인 1년 6개월 동안 계속해서 적극적으로 스타를 서포트하고 소속사를 관리·감독해 왔다. 〈프로듀스 101〉 시즌2에 연습생으로 출연한 후 데뷔한 JBJ[32]와 뉴이스트 W, 정세운 등의 팬덤 역시 마찬가지다. 특히 JBJ의 팬덤은 팬들이 직접 그룹을 기획하여 데뷔를 이뤄 냈다는 점에서 참여의 특성이 강하게 나타난다.

꾸준히 적극적인 팬덤 활동을 이어 온 다양한 연령대의 팬을 만나며 3세대 팬덤의 보편적인 특징을 알 수 있었다. 최종 선택에서 단 한 명의 연습생을 골라야 하는 〈프로듀스 101〉에서 1순위로 투표하는 후보인 '원픽'이 서로 다른 팬들을 만나 다양한 팬덤의 분위기를 파악하고, 개별 팬덤의 경향성을 두루 살폈다. 1세대와 2세대, 3세대를 모두 경험했던 팬들도 포함되어 있어 달라진 팬덤의 특징을 파악할 수 있었다. 워너원 활동 시기에 컴백해 활동을 재개한 1세대 아이돌 그룹도 있었기 때문에, 1세대 팬덤이 3세대 팬덤의 문화를 어떻게 받아들이고 있는지 알 수 있었다. 중국인 유학생 팬을 통해 해외 팬덤의 반응도 포함할 수 있었다.

인터뷰에 참여한 팬은 총 20명이다. 10대 후반에서 30대 초반까지 다양한 연령대로, 남성 팬 한 명, 중국인 팬 한 명이 포함되어 있다. 1·2·3세대 팬덤을 모두 경험한 팬부터 3세대에 새롭게 팬덤에 진입한 팬, 최근까지 활동을 이어 온 1세대 팬까지 다양한 경력을 갖고 있다. 팬클럽의 '총대'나 '스밍단' 조직의 핵심 구성원, 비공식 굿즈 제작, 트위터나 블로그 계정 운영 경험이 있는 팬들도 두루 포함되었다.

팬덤 용어 사전

팬덤은 자신들만의 다양한 용어를 사용한다. 기존에 존재하던 단어가 다른 맥락에서 쓰이기도 하고, 팬덤의 독특한 문화를 그대로 담고 있는 용어들도 있다. 특정 인터넷 커뮤니티 문화에서 비롯된 용어들도 있다. 팬 공동체 내에서 사용되는 용어를 이해하면 팬 현상과 팬덤이 가진 특징을 엿볼 수 있다.

ㄱ

개인 팬 그룹 구성원 중에서 (비교적) 한 멤버만 좋아하는 팬.

겸덕 두 그룹 이상의 아이돌을 동시에 좋아하는 것.

고나리 지나치게 아는 체하거나 이래라저래라 한다는 뜻으로 쓰이는 말. '관리'를 키보드 자판으로 빠르게 치면 생기는 오타에서 비롯되었다.

고정 닉 디시인사이드 사이트에서 회원 가입 절차를 거친 후 만든 고정 닉네임. 디시인사이드에서는 회원 가입 없이도 익명으로 글과 댓글을 남길 수 있다.

과녁 저격 특정인을 조준하여 공격한다는 인터넷 용어.

국민 프로듀서 〈프로듀스 101〉에서 나온 신조어로, 프로그램에서는 시청자를 '국민 프로듀서'로 호명하면서 아이돌을 뽑기 위한 투표를 독려했다.

ㄴ

네임드 이름이 알려진 유명한 팬 활동가.

ㄷ

닥눈삼 '닥치고 눈팅 3일'의 준말. 디시인사이드 내 게시판인 갤러리의 규칙과 분위기를 파악하기 위해 최소 3일은 글을 작성하지 말고 게시판을 지켜보라는 뜻이다. '삼'은 3주, 3개월 등의 의미로 쓰이기도 한다.

뒷갤 디시인사이드 사이트 내에서 주로 사용되는 팬덤 갤러리 외에 비교적 관련 없는 다른 주제의 갤러리를 통해 글을 올리며 활동하는 것을 뜻한다. 팬덤이 논의하는 내용이 외부로 드러나지 않게 하기 위해 주로 사용한다.

ㅅ

사생 연예인을 과도하게 쫓아다니며 사생활까지 관찰하려 하는 팬.

서치왕 서치search와 왕王의 합성어로, 검색을 자주 또는 잘하는 사람을 표현하는 말이다. 아이돌이 자신을 검색해 팬의 반응을 잘 살핀다는 의미로 사용하기도 한다.

셀털 방지 '셀프 털이 방지'의 준말. 디시인사이드 갤러리 내에서는 자신이 학생인지, 직장인인지 등 누구인지 알 수 있을 법한 이야기나 정체성을 표현하는 행동을 해서는 안 된다는 규칙이다.

수납 방송에 잘 나오지 않는다, 혹은 그런 취급을 당한다는 것을 뜻한다.

스밍, 스밍 리스트 스트리밍streaming의 준말. 가수의 팬들이 음악 방송 순위에 반영되는 음원 재생 집계를 위해 음원 사이트에서 음악을 반복 재생하는 행동을 의미한다. 스밍 리스트는 그러한 목적을 위해 만든 재생 리스트를 뜻한다.

스밍단 좋아하는 가수의 음원이 차트에 안정적으로 진입할 수 있도록 기획된 일종의 전략 팀인 '음원 총공 팀' 내에서 스트리밍을 담당하는 사람들. 음원 총공 팀은 보통 피라미드 형식으로 구성되는데, '스밍단-헬퍼-운영진'과 같은 방식이다. 예를 들어, 스밍단의 한 개인은 한 시간 동안(대개 음원 사이트는 곡당 재생 횟수를 시간당 한 번씩만 반영한다) 가동할 수 있는 개수의 아이디를 음원 총공 팀에서 지원받아 스트리밍한다. '총공(총공격) 시간'이라고 불리는 지정된 시간에 지원받은 음원 사이트 아이디로 로그인을 한 후 음악을 한 번 스트리밍하고 로그아웃하는 방식이다. 이를 여러 개의 아이디로 반복한다.

스밍단 헬퍼 스밍단 조직의 간부급 구성원.

시녀 짓 팬들이 특정 팬에게 과도하게 굽실거리는 현상.

ㅇ

악개 '악성 개인 팬'의 준말. 그룹의 멤버 중 한 명만을 좋아하는 개인 팬 성향이 극심할 경우, 이를 악성이라 표현하면서 경계하던 팬덤 문화를 의미한다.

올팬 그룹 구성원 모두all를 똑같은 마음으로 다 좋아하는 팬.

움짤 움직이는 gif 형식의 파일.

원픽 〈프로듀스 101〉은 최종 선택에서 단 한 명의 연습생에게만 투표할 수 있다. 이때 가장 선호하는 연습생 한 명을 픽pick한다는 의미에서 '원픽'이라고 부른다.

유동 닉 디시인사이드 사이트에 회원 가입을 하지 않고 글을 남기는 사용자의 닉네임. 이들은 아이피IP로 표시된다.

유입 새로 입문하는 팬. 디시인사이드 갤러리에서는 주로 커뮤니티에 처음 들어온 사람을 가리키는 용어로 사용된다.

인장 트위터 계정의 프로필 사진을 의미한다.

입덕 덕질(아이돌 그룹을 좋아하는 팬 활동을 표현하는 은어) 문화에 들어선다는 뜻. 광적 팬 입문, 마니아 입문을 말한다.

ㅈ

조공 일반적으로는 종속국이 종주국에 때를 맞추어 예물을 바치던 일을 뜻하는 단어이지만, 팬덤 문화에서는 팬들이 스타에게 선물하는 것을 의미한다.

직캠 직접 캠코더로 찍은 동영상을 뜻하는 준말.

ㅊ

차애 최고로 좋아하는 멤버의 다음 순서로 좋아하는 멤버.

차트 인 음악 순위 사이트의 인기 차트에서 순위 안에 드는

것을 뜻한다.

초동, 초동 판매량 초동은 앨범 발매일로부터 1주일을 말하며,

초동 판매량은 초동 기간에 판매된 앨범 판매량을 말한다. 초

동 기간 앨범 판매량을 줄여서 초동이라고도 한다.

총공 '총공격'의 줄임말. 아이돌 팬들이 특정 시간대에 특정

곡을 대상으로 음원 다운로드, 스트리밍, 음원 선물, 온라인

투표 등을 시행한다는 뜻이다.

총대 팬덤 내에서 주요한 일을 맡은 책임자.

최애 최고로 좋아하는 멤버.

ㅋ

코어core, **코어 팬**core fan 스타를 매우 적극적으로 좋아하는 사

람을 가리키는 말.

ㅌ

탈덕 벗을 탈脫 자와 '덕질'의 덕을 합친 신조어. 아이돌 그룹

을 좋아하는 팬 활동인 덕질 문화에서 벗어나는 것을 뜻한다.

ㅍ

파 문화, 팸 문화 '파'는 1, 2세대 팬덤에 주로 존재했던 오프라인 만남 위주의 팬 집단이다. 자주 만나며 팬 활동을 함께 한다. '팸'은 패밀리family의 약자로 인터넷상의 채팅 등에서 자주 만나는 사람, 특정 분야에서 자주 만나는 사람끼리 만든 카페나 홈페이지 기반의 단체를 일컫는다. 온라인 만남을 위주로 한다.

팬 생산 굿즈(비공식 굿즈) 굿즈는 아이돌, 영화, 드라마, 소설, 애니메이션 등 문화 장르의 팬덤 전반에서 사용되는 단어로, 콘텐츠나 인물의 정체성을 나타내는 모든 요소를 주제로 제작된 상품을 뜻한다. 팬 생산 굿즈는 팬들이 직접 생산한 굿즈다.

팬픽 팬이 직접 쓰는 소설. 자신이 좋아하는 드라마나 연예인, 스포츠 스타를 본뜨거나 주인공으로 내세워 창작한 소설이다.

핑프 핑거 프린세스finger princess 또는 핑거 프린스finger prince의 준말이다. 간단한 정보도 스스로 검색하지 않고 물어보는 사람들을 뜻하는 은어다. 정보를 직접 검색해서 찾기보다는 인터넷 게시판에 수시로 질문을 올려 타인이 달아 준 댓글을 통해 정보를 습득한다.

ㅎ

홈마 '홈페이지 마스터'의 준말. 홈페이지 운영자나 관리자. 스타의 사진과 동영상을 직접 찍어 올리는 개인 홈페이지나 SNS가 있는 사람을 뜻한다.

N

n인단 그룹의 전체 멤버 중 n명까지만 좋아하는 팬들. 주로 일부 멤버가 부정적인 이슈에 휘말렸을 때 그 멤버를 애정을 갖는 대상에서 제외한다는 의미로 사용한다.

소녀 팬에서 국민 프로듀서로

엠넷 〈프로듀스 101〉은 트랜스미디어transmedia 스토리텔링 전략을 바탕으로 한 프로그램이다. 트랜스미디어는 콘텐츠가 미디어의 경계를 넘어 서로 결합하고 융합하는 현상이다. 트랜스미디어 스토리텔링은 동일한 이야기의 다른 부분을 다양한 종류의 미디어를 통해 전달하며, 팬들의 적극적인 참여를 유도한다.[33] 〈프로듀스 101〉은 생방송의 흥분과 재미를 더욱 부각하기 위해 팬들이 인터넷과 모바일 투표에 참여하도록 유도했고, 웹에서 팬들이 직접 연습생에 대한 정보와 이슈를 생성하고 유통하도록 만들었다. 방송사의 전략대로 팬들은 웹상에서 각종 '팬 수다fan buzz'를 만들어 냈고, 방송사는 다시 이러한 반응을 프로그램에 십분 활용함으로써 폭발적인 반응과 몰입을 이끌었다.[34]

〈프로듀스 101〉처럼 수용자의 참여에 크게 의존하는 트랜스미디어 스토리텔링 콘텐츠는 타깃층이 넓다. 기존 아이돌 그룹의 주 소비층이 10대였다면, 대중을 상대로 방영하는 TV 프로그램인 〈프로듀스 101〉은 그보다 훨씬 폭넓은 연령대를 겨냥하고 있다. 물론 아이돌 그룹 팬덤의 연령과 성별 분포는 지속적으로 확장되어 왔다. 2007년 원더걸스가 데뷔한 후 팬덤의 연령대는 20대와 30대로, 성별은 여성에서 남성 팬덤으로 팽창했다.[35] 그러나 〈프로듀스 101〉은 시청자를

'국민 프로듀서'로 호명하면서 수용자층을 더욱 확장했다. 이 부름에 사실상 40대까지 응답하면서 팬덤의 연령대도 다양해졌다. 대다수의 인터뷰 대상자도 공개 방송이나 콘서트 같은 공간에서 40대 팬의 존재를 확인했고, 이들은 초등학생 딸과 함께 팬이 되기도 했다. 또한 20대 후반 이상의 팬들은 과거의 팬 경험을 토대로 자연스레 새로운 팬덤에 합류한 경우도 있었지만, 생애 처음으로 아이돌 그룹의 팬이 된 사람도 많았다. 이 점에서 소비층이 확실히 확장되었다고 볼 수 있다.

> 과거에는 팬 활동을 안 했는데 어떻게 그렇게까지 빠질 수가 있었지? 저도 모르겠어요. 신기한 것 같아요. 왜냐면 방송 보고 단순히 좋아하는 수준이 아니라, 지금 코어가 됐거든요. (F, 20대 후반, 3세대 팬덤 경험, 비공식 굿즈 제작 경험)

> 투표 때문에 그런 게 아닐까요? (데뷔가) 그 투표로 된 거잖아요. '내가 애한테 이만큼 기여했다', 뭔가 유대감 같은 게 더 생겨서. 옛날 같았으면, 그냥 가볍게 봤으면 '어, 쟤 잘생겼네?' 하고 끝이지. 내가 애에 대해서 궁금해서 막 찾아보고 그러지는 않았을 것 같아요. 저는 연예인을 좋아한 게 이번이 처음이라. (E, 20대 후반, 3세대 팬덤 경험, 비공식 굿즈 제작 경험)

3세대 팬덤 구성원의 연령은 40대까지 확장되었다. 연령 측면에서의 확장과 함께 케이 팝K-Pop 열풍은 글로벌 팬덤까지 흡수했다. 물론 해외로의 팬덤 확장은 프로젝트 그룹과 함께 나타난 3세대만의 특징은 아니다. 과거 동방신기나 보아도 아시아 팬덤을 확장했고, 엑소EXO나 방탄소년단은 북미 등 서구로까지 팬층을 넓혔다. 이미 존재했던 한류 현상에 프로젝트 그룹이라는 형태가 추가되면서 해외 팬덤에도 일정 부분 변화가 생겼다.

중국에도 〈프로듀스 101〉을 좋아하는 친구들이 많았어요. 그런데 투표는 한국에 있는 핸드폰으로밖에 할 수 없었기 때문에, 저같이 한국에 유학 와 있는 친구들을 통해 투표를 부탁하는 친구들이 많았어요. 저도 몇 번 부탁을 들어준 적이 있는데. 한 번 투표해 줄 때마다 한국 돈으로 1000원에서 2000원씩 받았어요. 웨이보(微博)에도 연습생들한테 투표해 달라는 글이 정말 많이 올라왔었어요. 워너원은 중국에서도 인기가 많았고, 많은 사람들이 그 프로그램을 봤죠. (R, 20대 후반, 3세대 팬덤 경험, 중국인 팬)

한 가지 주목할 만한 부분은 이들이 한국 콘텐츠인 〈프로듀스 101〉을 적극적으로 수용했을 뿐 아니라, 이 프로그램의 포맷이 중국에 수출되면서 중국 팬덤이 중국판 프로젝트 그룹 형성에 똑같이 참여했다는 점이다.

한국 프로그램은 하루 안으로 다 자막이 달려서 (중국에) 풀려요. 그래서 그걸 다 봤고, 〈우상연습생〉(중국판 〈프로듀스 101〉)이 나왔을 때 똑같이 SNS 홍보하고 투표하고 했어요. 중국에서도 엄청 인기 많았어요. (R)

포맷 수출은 이미 한국판 프로그램을 모두 시청했던 중국 팬들에게 경험적 선례를 제공했다. 팬덤의 연령대를 높이고, 팬 활동을 하지 않았던 사람들을 팬으로 끌어들였을 뿐 아니라, 글로벌 시장에서도 적극적인 수용자층을 넓힌 셈이다.

기획, 전략, 노동

과거에는 스타라는 상품이 먼저 만들어지고, 팬들은 그 후에 예능 프로그램 등을 통해 스타의 매력을 확인해 갔다. 하지만 〈프로듀스 101〉의 수용자들은 리얼리티 프로그램인 서바이벌 오디션을 통해 먼저 각 연습생의 인간미와 스토리를 확인하고, 그 후에 직접 스타라는 상품을 만들어 나간다. 리얼리티 형성 과정에서 스타와 팬덤이 동시에 만들어지는 셈이다. 이 과정에서 팬덤에는 스타에 대한 끈끈한 감정적 연대가 생긴다.

이러한 팬덤 형성 과정은 재퍼zappers에서 로열loyals이 되는 과정으로 볼 수 있다.[36] 재퍼는 끊임없이 채널을 돌리는 가벼운 시청자를 뜻한다. 반면에 로열은 장기적인 헌신을 보여준다. 산업 관계자들은 점점 재퍼보다 로열을 훨씬 중요하게 여긴다. 과거에는 팬이 일반적인 대중을 대표할 수 없다고 생각되었지만, 광고주가 점점 시청률이 아니라 타깃 소비자의 선호도가 높은 프로그램에 투자하는 것이 효과적이라는 사실을 깨닫고 있기 때문이다. 이에 따라 미디어 업계는 로열을 유인하는 방법에 대해서 고민해 왔는데, 그 전략 중 하나가 시청자를 국민 프로듀서로 호명해 참여를 유도하는 일이었다.

〈프로듀스 101〉은 얼핏 보면 재퍼들을 겨냥한 것처럼 보이는 짧은 에피소드들로 구성되어 있다. 비교적 길이가 짧은 경연들로 구성되어 이전 회차의 내용과 관계없이 시청할 수 있다. 하지만 경연이 진행되고, 회가 거듭될수록 이 프로그램은 심화 수준의 시청자 참여를 유도하는 시리즈물이 되어 간다.[37] 시청자를 국민 프로듀서로 부르는 것이 참여의 출발점이었다. 국민 프로듀서들은 회가 거듭될수록 단순히 투표만을 하는 것이 아니라, 자신이 지지하는 연습생의 데뷔를 위한 갖가지 전략을 기획하게 되었다.

각종 커뮤니티와 유튜브를 비롯한 SNS에서는 프로그램만으로는 알 수 없었던 연습생들의 과거와 현재가 팬들의 수많은 2차 생산물(영상, 만화 등)과 게시물을 통해서 공유된다. 팬들은 몰랐던 정보를 다른 팬들 덕분에 알게 된다. 정보 공유가 활발해지면서 팬들이 직접 만들고 공유한 콘텐츠가 프로그램을 시청하지 않았던 시청자들을 유입하는 계기가 되기도 했다.

이는 젠킨스가 적극적인 소비자의 특징으로 분석하는 집단 지성의 측면이기도 하다.[38] 웹상에서 팬들은 방대한 규모의 협업과 토의를 통해 정보를 공유하고, 개인의 전문성을 발휘하면서 커뮤니케이션한다. 집단 지성은 미디어 산업에서 나날이 중요해지고 있는 소비자 수다buzz를 만들어 내고, 그에 따라 소비는 집단적인 문화 현상이 된다. 팬덤 공동체의 지식 생산 능력 또한 전보다 강력해진다. 이를 통해 기획자로서의 새로운 권력을 얻기도 한다. 〈프로듀스 101〉에 출연한 각 연습생은 데뷔 전부터 팬들의 치밀한 기획과 든든한 지원을 바탕으로 '영업'되고 있었다. 기획사의 홍보물이 아니라 팬들이 집단 지성을 발휘해 직접 기획하고 만든 연습생의 콘셉트와 홍보 영상이 새로운 팬의 '입덕 계기'가 되는 셈이다.

사실 프로그램 볼 때, 처음부터 성운이를 좋아하진 않았어요. 피디가 강조하고 보여 주는 대로 좌지우지돼서 좋게 비춰 주는 애한테는 더 호감이 가고, 일명 '악마의 편집'을 당하는 연습생이나 아예 비중이 없는 애들은 누가 있었는지도 모르게 되거나……. 그런데 나중에 친구가 디시(디시인사이드) 갤러리를 알려 주더라고요. 갤러리 덕분에 다른 연습생들의 '입덕 포인트'를 많이 알게 되었어요. 팬들이 (하성운 연습생에게 다양한 매력이 있다는 뜻에서) '초면 갑'이라거나 '성운이네 다섯 쌍둥이' 같은 콘셉트로 입덕 글을 배포했는데, 저는 그거랑 과거 영상 속 귀여운 모습들 보고 진짜 코어 팬이 됐어요. 그거 말고도 실력, 비주얼, 별명, 성격 같은 걸 콘셉트화해서 많이 배포했고, 모르긴 해도 그런 게 많은 팬의 입덕 포인트가 되지 않았을까요? (Q, 20대 중반, 2·3세대 팬덤 경험, 광고·서포트 참여, 트위터 활동가)

〈프로듀스 101〉은 많은 부분을 팬들에게 빚지고 있다. 방송에 활용되는 연습생의 별명부터 캐릭터와 특징, 웃음 포인트까지 편집에 활용되는 대부분의 요소는 팬이 만들어 낸 것이다. 제작자는 각 연습생의 팬 커뮤니티에서 이슈가 되고 있는 별명이나 매력 포인트 등을 파악하고 프로그램에 반영한다. 팬 수다를 적극적으로 프로그램에 녹여 냄으로써 더 큰 팬 수다를 만드는 구조다. '우리의 이야기가 실제로 방송에 나왔다'는 인식은 더 깊은 몰입을 불러일으킨다. 프로그램에 활용된 팬들의 이야기에 팬이 다시 적극적으로 반응하기도 한다. 이는 생방송의 재미를 더하기 위한 방송사의 전략이기도 했지만, 제작자가 출연진의 캐릭터를 일일이 파악하거나 만들어 내지 않아도 팬 커뮤니티에서 찾아보거나 물어보면 해결될 만큼 제작 과정을 편리하게 만드는 요소이기도 했다.

동한이가 다시 갤러리랑 인터뷰를 하게 됐는데, 그 기자가 연습생 갤러리에 찾아와서 '동한이에 대해서 좀 알려 달라', 아니면 '동한이에 대해서 궁금한 게 있냐'고 글을 쓴 거예요. 맨 처음에는 사람들이 못 믿으니까 '웬 핑프냐. 검색해서 네가 찾아' 하면서 욕 댓글을 달았어요. 그런데 알고 보니까 진짜 기자였어요. 그래서 우리가 'JBJ 조합을 아느냐, 팬들이 만든 조합인데' 그렇게 알려 줬고. 그걸(JBJ의 존재를) 기자가 동한이한테 전해줘서 동한이가 그거 하고 싶다고 인터뷰하고……. (D, 30대 초반, 1·2·3세대 팬덤 경험, 광고·서포트 참여, 팬 이벤트 주최 경험)

JBJ는 〈프로듀스 101〉 시즌2에 출연했던 연습생 6명(노태현, 켄타, 김상균, 권현빈, 김동한, 김용국)으로 구성된 글로벌 보이 그룹이다. 이들은 프로그램을 통해 데뷔한 것이 아니라, 팬들이 직접 멤버를 구성하고 광고를 하면서 데뷔했다. '정말 바람직한 조합'이라는 뜻의 그룹명 JBJ 역시 팬들이 만든 이름이다. D의 말처럼 팬들은 기자에게 꽤 괜찮은 인터뷰 자료를 제공해 줬을 뿐 아니라, 하나의 아이돌 그룹을 기획하는 역할까지 해냈다.

　기존 아이돌이 부단한 미디어 노출을 통해 좋은 이미지를 형성하고 충성도 높은 팬덤을 만들어 왔다면[39], 프로젝트 아이돌 그룹의 경우 팬덤이 아이돌의 이미지를 함께 만들어 간다. 국민 프로듀서라고 불리는 순간 자신들이 정말 아이돌을 기획하고 매니지먼트하는 프로듀서가 되어야 한다고 생각했던 수용자들은 몇 분 되지 않는 방송 분량에 의지하는 대신 자신이 지지하는 아이돌을 홍보할 수단을 직접 만들어 냈다. 그렇게 만들어진 이미지는 아이돌의 '셀링 포인트'가 되었다. 이를 토대로 팬들이 직접 광고를 지하철역에 게재하기도 했다.

　프로그램 방영 기간부터 시작된 팬들의 기획 참여는 프로젝트 그룹의 데뷔 이후에도 이어졌다. 프로젝트 그룹 팬들의 행동과 발화는 기획자의 입장에서 이루어진다. 가령 그룹의 한 멤버가 다른 연예인과 사적인 자리에서 찍은 사진이 공개되면, 팬들은 그 사진을 단순히 감상하는 데에 그치지 않는다. 우선 팬들은 사진에 찍힌 연예인들이 방영을 앞둔 예능 프로그램의 고정 멤버라는 것을 알아낸다. 그리고 그 사적인 만남을 근거로 해당 프로그램의 게스트로 자신의 스타를 추천한다. 일종의 스케줄 매니지먼트 방식이다. 다른 예로, 좋아하는 스타가 출연을 앞둔 예능 프로그램에 필요한 물품을

'조공'하는 방식도 있다. 일반적으로는 스타의 매니지먼트사에서 준비하고 관리해야 할 부분에 팬덤이 관여하는 셈이다.

데뷔 이후의 홍보와 마케팅에서도 팬들의 전략은 계속된다. 각 팬덤에는 스밍단이라는 이름의 조직이 존재한다. 좋아하는 가수가 음원 사이트에서 차트 인 할 수 있도록 조직 차원에서 노래를 반복적으로 스트리밍한다. 그뿐 아니라 음악방송 1위 선정 방식, 언론에 보도되는 화제성 지수 집계 방식 등을 분석해서 팬들이 그에 최적화된 방식으로 스타를 소비할 수 있도록 유도하기도 한다. 혹은 사람들이 필요로 하는 정보가 담긴 글을 게시하면서 글 안에 자신이 좋아하는 스타를 '영업'하는 내용을 함께 첨부한다. 일종의 끼워팔기 방식이다.

저희는 한 시간 단위로 음원 사이트를 돌아가면서 총공을 하거든요. 헬퍼나 스밍단이 되려면 총공 팀에 만 원 이상 기부하고, 멜론 인증 아이디를 2개 이상 기부해야 하는 조건이 붙어요. 근데 이건 좀 특수한 케이스고, 저희 언니는 다른 그룹을 좋아하는데 비활동 시기에도 스밍(스트리밍)을 해요. 새벽에 팬들이 차트 안에 넣어 놓으면, 차트 100을 듣는 일반인들이 듣고, 지속적으로 듣는 계기가 될 수 있다고 생각해서 그렇게 하더라고요. '내 아이돌의 노래를 들어 주세요' 이런 마음이죠. 이렇게 하면서 팬들끼리 으쌰으쌰 하고, 결과도 잘 나오면

'나의 소비와 노동이 이렇게 영향을 미치는구나' 하는 즐거움을 느끼는 거 같아요. 계속 순위가 오르는 게 눈에 보이니까. 그래서 더 빠져들게 되죠. (L, 20대 중반, 2·3세대 팬덤 경험, 스밍단 헬퍼, 팬 이벤트 주최 경험)

팬덤 내에서 이벤트나 나눔을 하면 (스타를 지원하는 활동을 했는지 확인하는) '노동' 인증을 받아요. 그야말로 가끔 이게 팬질인지 노동인지 헷갈릴 때가 있을 지경이에요. 데뷔 이후에는 정말 안 하는 게 없어요. 음원 스밍, 댓글 관리, 연관 검색어 관리, 기사 관리 등 소속사 홍보팀에서 할 법한 업무부터 시작해서, 스타 관련 악플은 하나하나 다 pdf 파일로 만들어서 모아서 소속사에게 보내요. 고소하라고요. 사건 사고가 터지면 강하게 피드백을 요구하고, 소속사의 피드백이 시원치 않을 경우에는 재차 피드백을 요구하죠. (P, 20대 후반, 3세대 팬덤 경험, 광고·서포트 참여)

조공이나 스밍단 같은 활동은 과거의 팬덤에서도 발견되는 방식이지만, 3세대 팬덤은 한 단계 발전한 기획력을 다양하게 발휘한다는 점에서 다르다. 이를테면 이들은 광고주가 인터넷 게시물 키워드의 빅 데이터를 기반으로 광고 모델을 결정한다는 사실을 알고, 게시물에 '워너원이 광고하는 아이스크림'과 같은 구절을 반드시 넣어서 작성한다. 또한 음악 경연 프로그램에 출연한 스타의 무대 영상이 동영상 사이트에 올라오지 않을 경우에는 동영상 사이트에 무대 영상 클립이 올라가는 기준, 즉 방송국 내부 규칙을 알아내고 방송국에 직접 전화를 걸어 동영상을 올려 달라고 요청한다. 기획자이자 홍보 전문가로서 팬들의 능력이 어디까지냐가 팬덤 활동의 범위를 결정짓는 셈이고, 그런 측면에서 팬덤의 활동 범위는 무한하다.

팬들의 전략은 서로에게 공유되며 학습 효과를 강화한다. 많은 팬이 이러한 문화를 도제식으로 학습하면서 더 전문적인 전략가가 되어 간다.

> 그런 스밍 문화나, 팬들이 노동력을 발휘하는 문화는 사실 학습되는 거 같아요. 예를 들면 내가 다른 2세대 아이돌 좋아할 때, 음반 판매량을 높이려고 핫트랙스랑 팬클럽 할인 협약 맺는 걸 했었거든요. 근데 그걸 지금 좋아하는 아이돌 판에 어떻게 하는지 슬쩍 알리고 팬들이 그렇게 행동하게 만드는 거죠. 그렇게 서로 학습시키고, 더 좋은 거 있으면 서로 공유하고 이렇게 내부적으로 알음알음 알아 가요. 더 좋은 게 있으면 차용하고. (D)

전략적 팬덤은 스타에게 도움이 되고자 할 때, 특히 민감한 사안을 이야기할 때 '불판(혹은 뒷갤)'을 열고 대책을 세우기도 한다. 불판은 특정 주제에 대해 사람들이 실시간으로 댓글을 달면서 의견을 주고받는 인터넷 공간이다. 이 불판이 외부에 알리고 싶지 않은 논의를 할 때 사용하는 '뒷갤'과 연결될 경우에는 정해지지 않은 시간에 갑자기 특정 사안에 관해 토론할 것임을 알리고, 팬 활동에 깊게 관여된 이들만이 풀 수 있는 어려운 암호를 걸어 인터넷 페이지를 개설한다. 이 페이지는 미리 공지되지 않고 갑작스럽게 열리기 때문에 팬 커뮤니티에 상시 머무르는 팬만이 회의에 참석할 수 있다. 어려운 암호를 풀어낸 팬들은 의사 결정 회의에 참석하는 참모가된다. 팬덤의 이러한 전략적인 면모는 소비자 행동주의를 실현하는 토대가 되기도 한다. 소비자로서 적극적인 의견을 개진하기 위한 전략으로 집단 지성이 발현되는 것이다.

'스타 라이브[40]' 때도 그렇고, 뭐 터지면 뒷갤에서 이야기하더라고요. 우리 멤버는 그때 논란이 없었는데, 대놓고 우리 멤버 갤에서 불판 열면 좀 이상해 보이잖아요. 대표성을 띠니까. 그런데 (다른 팬덤) 도와주고 정리는 해야 하니까, 우리 팬덤이 가만히 있으면 안 될 때 뒷갤을 쓰는 거 같아요. 그리고 대부분 글로 안 올리고 댓글로 달려요.[41] 검색 안 걸리게. 그리고

나중에는 글 삭제하죠. (A, 30대 초반, 1·2·3세대 팬덤 경험, 광고·서포트 참여, 트위터 활동가)

하고 싶은 거 다 해

프로젝트 아이돌 그룹의 팬덤은 스타의 이미지를 만들어 가는 기획 단계에서 스타에 대해 깊은 연대감을 느끼게 되고, 높은 충성도를 가지게 된다. 이는 스타가 하고 싶어 하는 일을 하게 해주겠다는 자기 인식으로 이어진다.

마지막 프듀 동창회, '35인 콘서트' 할 때, 우리가 'JBJ 데뷔시켜 달라'는 로고를 박아서 슬로건이랑, 물티슈랑, 부채랑 다 제작해서 나눠 줬어요. 그때 상균이네 회사 후너스가 가장 자본을 많이 가진 회사라서 (데뷔를 시켜 줄) 유력한 회사였는데. 그 회사 관계자가 와서 관심을 보이고 그 물품을 다 받아간 거예요. 그래서 우리가 데뷔시켜 달라고 창립 기념일에 도시락 보내고……. 'JBJ 데뷔시켜 달라'는 광고 냈을 때도 '우리가 자금력이 있다는 걸 어필하자', 이만큼의 돈을 투자할 의향이 있는 사람들이 많다는 걸 보여 주기 위해서 광고를 기획했어요. 그래서 삼성역에 광고 3개를 걸었어요. 트위터 계정도 만들었어요. 해외 팬덤용으로요. 해외 팬덤이 이만큼 만들어졌다는 걸 알려야 소속사한테 돈이 된다는 걸 알리는 거니까.

이렇게 우리가 푸시하면, 애들이 또 그걸 알아주고 인터뷰에서 'JBJ 하고 싶어요'라고 말하니까. 계속 쌍방이 되면서 데뷔가 이루어진 거죠. 저는 그 과정이 너무 즐겁고 진짜 매일 울고 웃고 그랬어요. (D)

팬들의 투표로 워너원이 탄생했고, 프로그램 종영 후에도 팬덤의 적극적인 기획과 영업으로 프로그램 외부에서 JBJ가 탄생했다. 이처럼 실제로 아이돌 그룹을 데뷔시킨 국민 프로듀서들의 영업과 기획은 연습생이 데뷔하고 난 후에, '내가 스타를 키워 냈다'는 자기 인식을 만들었다. 그러다 보니 팬덤은 모든 행동을 스타가 원하는 것을 '들어준다'는 생각에서 시작한다. 그래서 팬덤이 움직일 때는 늘 스타가 '하고 싶어 하니까 해주자'라는 인식이 수반된다. 양육자로서의 태도다.

현빈이 팬들이 사실은 처음에 모델로서의 현빈이를 좋아했기 때문에, 현빈이 모델 시키고 싶어 했어요. 그런데 애가 아이돌 하고 싶다고, JBJ 하고 싶다고 인터뷰 때마다 이야기하니까 '우리가 반대할 이유가 없지 않나' 하면서 시켜 준 거죠. (D)

자기가 하고 싶다고 하니까. 하면 좋겠다. 그냥 다 똑같을 걸요, 현빈이 팬은. 하고 싶으면 하고. 뭐, 하기 싫으면 굳이 무리해서

하지 말고. (S, 20대 중반, 1·2·3세대 팬덤 경험)

〈프로듀스 101〉에 출연했던 권현빈 연습생은 원래 모델 전문 기획사에 소속되어 있었다. 프로그램에서 인기를 얻은 후에도 팬들은 모델로서의 모습을 좋아했다. 그럼에도 많은 팬들은 그가 JBJ라는 아이돌 그룹을 하고 싶어 하니까 '시켜 주려고' 노력하는 양육자로서의 태도를 갖게 되었다.

국민 프로듀서의 가장 큰 역할은 스타의 기획자이자 양육자가 되는 일이었다. 이들은 프로젝트 그룹의 그룹명, 팬클럽 이름, 그룹의 유닛 이름까지도 직접 정했다. 물론 이 과정은 트랜스미디어 스토리텔링을 하려는 제작자가 팬덤 참여를 유도하기 위해 구사한 하나의 전략이었지만, 여기에서 팬들은 '스타가 하고 싶어 하니까 투표하자'는 생각을 기반으로 다양한 참여에 응답하고 있었다. 이러한 팬들의 자기 인식은 스타를 소비하는 방식과 집단적인 팬 실천에서 보다 구체적인 행동으로 나타나게 된다.

내가 그의 이름을 불러 주었을 때

셀러브리티 팬덤에게 스타와 팬 사이의 관계 설정은 매우 중요하다. 워너원과 같은 프로젝트 그룹의 팬덤에게 '투표를 통해 스타를 직접 데뷔시켰다'는 인식은 팬의 정체성을 구성하는 요소다. 그래서 이들은 스타와의 감정적 연대도 강하고, 애착도 크다. 그리고 이렇게 스타라는 텍스트 안에서 팬덤이 개입하는 빈 공간이 커질수록 팬덤은 스타와 상호 작용을 하고 있다고 느끼게 된다. 미디어 철학자이자 사회학자인 피에르 레비Pierre Levy의 지적처럼, 개방된 작품에서 수용자는 빈 공간을 채워 넣는다.[42] 과거 아이돌 팬덤의 주된 행동 양식이 우상에 대한 열광이었다면, 지금의 팬덤은 조건 없는 애정보다는 양육하고 있다는 감정을 더 강하게 느낀다. 기획사와 함께 스타를 키워 나가는 것이다.

저의 최애 박우진을 위해 온 가족의 아이디를 동원했고, 저도 하루도 빠지지 않고 투표를 하고, 남자 친구와 지인들에게 표를 구걸했어요. 박우진 직캠을 순위에 올리기 위해 동영상 스밍에도 적극 참여했고, 그냥 무조건 (워너원 데뷔 멤버가) '얘가 되면 좋겠다'였어요. 솔직히 다른 멤버는 누가 되든 관심 없으니, '내 새끼'만 데뷔하면 좋겠다. 아들을 낳으면 이런 기분이려나……. 진짜 얘는 잘되면 좋겠고, 얘의 환상적인 면모를 모르는 사람들이 안타깝고, 제발 이 아이의 매력을 다른 사람들이 알아주면 좋겠고. 그래서 얘가 꼭 데뷔했으면 좋겠고. 내가 가장 이상적인 인물로 생각하는 이 아이가 꼭 잘돼서 내 안목이 틀리지 않았음을 입증하고 싶고, 또 이렇게 자기를 좋

아하는 사람들이 많다는 걸 이 아이도 알았으면 좋겠고. (P)

JBJ 세계관 자체가 김춘수 시인의 시 〈꽃〉이에요. 너희가 우리를 불러 준 순간 우리가 나타났다. 그래서 데뷔 곡 〈판타지〉도 첫 가사가 '너희는 몽상가가 아니다' 이렇게 시작하거든요. 우리가 맨날 얘네 데뷔시키려고 광고 내고 이것저것 할 때, 우리끼리 망상한다고 자조하고 그랬는데, 얘네가 데뷔 곡에서부터 '그거 망상 아니다', '너희가 우리를 불러 줘서 우리가 이렇게 진짜 나타났다' 이런 거거든요. JBJ는 팬이 만들었고, 팬이 기획했고, 팬이 광고하고 다 했어요. 의미가 진짜 다르다고 생각해요. (D)

이 과정에서 팬들은 자연스럽게 스타와 심리적 가까움을 느끼게 된다. 동경하는 스타보다는 비교적 동등한 관계로 느끼는 것이다. 스타는 〈프로듀스 101〉 프로그램이 진행되던 때부터 데뷔를 위해 팬들과 공모해 왔다. 프로그램의 에피소드 중 '콘셉트 평가 곡' 미션은 각 연습생이 어떤 곡을 공연할지 팬들의 투표로 정해지는 방식이었다. 이때 몇몇 팬덤은 연습생이 SNS에 원하는 미션 곡의 번호를 표시해 주면 그 곡에 투표하겠다고 했고, 실제로 몇 명의 연습생들이 그런 표시를 SNS에 올렸다가 제작진에게 알려지면서 페널티 차원에서 해당 연습생들의 평가 곡이 바뀌기도 했다. 이처럼 팬과 스타는 데뷔를 위한 전략적 공모를 펼쳐 왔고, 이것이 데뷔 후에도 유지되는 측면이 있다. 데뷔 과정 자체가 팬들에게 투표를 부탁하는 것에서 출발했기 때문에 스타도 수용자의 피드백에 민감하고 팬들이 원하는 바를 즉각적으로 수행한다.

그렇다 보니 팬에 대한 스타의 피드백이 빠른 편이다. 워너원 멤버들은 막내 멤버의 분량을 늘려 달라는 '#우리의_막내를_지켜주세요'[43] 해시태그 운동이 벌어지고 난 후에, 실제 방송에서 그 멤버에게 지속해서 말을 거는 모습을 보이기도 했다. 한 멤버는 단독 콘서트에서 "저희 워너원이 정말 서치왕이거든요"라고 말하면서 팬 사이의 이슈를 모두 지켜보고 있다는 사실을 언급하기도 했다. 팬 사이에서 논란이 되는 글은 스타가 직접 수정하거나 삭제하기도 한다. 기획사나 제작자가 아닌 셀러브리티가 직접 팬들의 요구에 발 빠른 행동을 보인다는 것은 팬들이 인식하는 스타와의 거리감에 확실한 변화를 가져왔다.

> JBJ를 좋아하게 된 이유는 그들한테 피드백이 온다는 사실이 재미있어서인 거 같아요. 우리가 이런 걸 제안하면 바로 다음 날 걔네가 자기들도 좋다고 인증 샷을 찍어서 올리고. JBJ 데뷔시킬 때도 저희가 지하철 광고 내면, 애들이 꼭 다음 날 한

명씩이나 단체로 가서 인증 샷을 찍고 와요. 그런 피드백과 하나씩 만들어 가는 과정이 너무 재미있었어요. (G, 30대 초반, 1·2·3세대 팬덤 경험, 개인 블로그 운영 경험)

동경하지 않고 관리하는 애정

이제 팬들은 스타를 무조건 지지하지 않고, 애정을 기반으로 관리하고 감독한다. 직접 기획하고 홍보해 가며 키워 낸 스타라는 점이 팬들의 개입을 가능하게 한다.

(팬들이) 적극적으로 이미지 관리 전략을 짜거나 하는 모습이 처음에는 낯설고 극성이라고만 생각했는데, 지금은 익숙하게 다가오는 것 같아요. 아마 주체성이 가장 큰 원동력이겠죠. 소극적인 소비자가 아니라, 능동적인 문화 향유자로서 나의 취향의 결정체인 내 가수를 내가 원하는 모습으로 보고 싶은 거죠. (P)

이러한 측면에서 '양육'형 팬덤은 스타에게 점점 더 과도한 요구를 하기도 한다. 이른바 '고나리(관리)'다.

일반 대중으로서 그간 제가 팬덤에 대해 가지고 있던 생각은 '오빠 부대'의 전형이었어요. 아이돌을 동경하는 것이 팬덤의 주된 정서라고 생각했어요. 그런데 막상 (워너원) 팬덤 활동을 해보니, 동경이라는 느낌은 거의 들지 않았어요. 거칠게 말하자면 가수와 팬이 상하 관계라고 생각했는데, 그 상하 관계가 거꾸로 된 느낌? 팬들은 당당하게 '내가 돈을 냈으니', '내가 너를 데뷔시켰으니'라는 이유를 들어 가수에게, 더 나아가 소속사에게도 어떤 모습을 보일지, 어떤 행동을 취할지 요구하더라고요. 모 멤버에게 '너를 뽑아 주는 유일한 이유가 얼굴인데 감히 살이 찌면 어떡하냐'는 식의 발언, 특정 멤버를 배척하며 '어쩔 수 없이 세트 상품을 사는데 하나가 불량인 걸 두고 봐야 하느냐'라는 발언 등은 정말 충격적이었습니다. 아이돌을 동경의 대상이 아닌 소비하는 상품처럼 대하더라고요. 그렇다고 꼭 부정적인 인상이 들었다는 건 아니고, 밖에서 본 팬덤과 안에서 본 팬덤이 달랐다는 의미예요. 밖에서 팬들의 유난이라고 느끼는 행동의 원인은 '우리 오빠들을 동경해서'가 아니라 '내가 스스로 선택하고 소비하는 아이돌이어서'에 더 가깝더라고요. (P)

팬들의 요구는 점점 구체적으로 변해 간다. 일부 팬들은 스타가 볼 수 있도록 트위터에서 스타의 실명을 게재하면서 자신의 요구 사항을 올린다. '○○○은 관리 좀 하세요' 같은 방식이다. P가 말하는 것처럼 팬들의 요구는 돈을 내는 사람으로서, 상품의 완성도를 위해서라는 명목으로 정당화된다. 이러한 현상이 바람직하다고만은 할 수 없지만, 과거에는 우상인 스타에게 '감히' 이런 요구를 하지 못했다면 지금은 팬들이 소비자로서 과감하게 행동할 수 있게 된 것이다. 팬들은 이러한 요구를 하는 일부 팬에 대해 '극성맞은 엄마'라는 표현으로 거리를 두기도 하고, 자조적으로 경계하기도 한다.

마음속으로는 요구하죠. 박우진 앞머리 내려라, 박우진 흑발 해라, 박우진 재랑 놀지 마. 이런 식으로요. 과거에는 아이돌이 저 하늘에 빛나는 별이라고 해서 스타였잖아요. 닿을 수 없고, 바라보는 것만으로 아름답고, 그저 내가 있는 것을 알아줬으면 좋겠다 싶은 동경의 대상이었죠. 지금은 '내 새끼'고요. 내가 키운 거나 다름없는 내 새끼니까 내가 어느 정도 요구할 수 있다고 생각하는 것 같아요. 박우진을 좋아하게 되면서 아들 가진 엄마의 마음을 약간 이해할 수 있게 됐거든요. 엄마에게도 다양한 모습이 있듯이 저는 엄청 극성맞은 엄마는 아니지만, 마음속으로는 바라는 게 한가득인 엄마인 것 같아요. 이게 과거와는 분명히 달라진 점이겠죠. '있는 그대로도 좋지만 그래도 내가 원하는 모습을 더 보여 줘! 왜냐면 내가 데뷔시키고 내가 돈 대서 키우고 있으니까'가 이유예요. (P)

심지어 프로그램이 한창일 때는 이런 표현도 있었어요. '파양

해야겠다.' 너무 충격적이었어요. (J, 20대 후반, 2·3세대 팬덤 경험, 광고·서포트 참여)

3세대 팬덤의 핵심적인 특징은 양육에 있다. 2세대 팬덤의 연령대가 20대 이상으로 확장되면서 소비 능력, 즉 경제적 능력을 갖게 되었다면[44], 3세대 팬덤은 양적 확장을 이루는 동시에 주체성과 기획 능력을 갖게 되었다. 국민 프로듀서라는 부름은 팬덤을 기획자이자 유통자, 전략가, 홍보가, 평론가 등으로 존재하게 했고, 이는 단순한 소비 능력을 뛰어넘는 팬덤의 위치를 만들었다. 젠킨스의 표현대로, 새로운 세대에 나타난 쌍방향 미디어 수용자의 대표 이미지[45]라고 할 수 있다.

'원픽'과 끊임없는 경쟁

팬덤은 비판적 해석의 공동체다. 이들이 팬 대상을 해석하는 방식에는 일반 소비자와 구분되는 독특한 특성이 있다. 팬 개인이 팬덤이라는 공동체의 구성원이 되기 위해서는 그 공동체가 선호하는 해석 방식을 학습해야 한다.[46] 〈프로듀스 101〉의 서사는 경쟁을 통해 101명의 연습생 중 단 11명만을 데뷔시키는 것이다. 팬들의 투표를 통해 연습생에게 주어지는 데뷔의 기회가 프로그램의 핵심 요소였다. 이 과정에서 팬들 역시 여러 연습생 중 한 명만을 선택해야 하는 경쟁 상황에 놓이게 되었고, 이는 팬들이 파편화된 애정을 가질 수밖에 없도록 만들었다. 프로젝트 그룹 팬덤이 선호하는 해독 방식이 파편화된 애정이 되었다고 할 수 있다.

단순히 데뷔만이 아니라 자신이 좋아하는 연습생이 1등을 하도록 해서 '센터' 자리를 안겨 줘야 하는 서사 구조 또한 파편화에 영향을 끼쳤다. 데뷔 멤버가 되는 것을 넘어서 몇 등으로 데뷔하는지도 팬들에게 중요한 문제였기 때문에 팬 개인들의 애정은 한 명에게만 배타적으로 주어질 수밖에 없었다. 또한 I.O.I가 탄생한 〈프로듀스 101〉 시즌1과 비교해 시즌 2 팬들은 더 치열한 순위 경쟁을 했다. 팬들은 그 이유가 센터 경쟁의 중요성을 깨달았기 때문이라고 말한다.

시즌1 때는 투표를 할 때 아이돌 전체를 구성한다는 느낌이 컸어요. '내 원픽(pick)을 만든다'보다는 '얘도 데뷔하면 좋겠고, 쟤도 데뷔하면 좋겠고'. 그래서 여러 명을 '이렇게 뭉쳐 있으면 예쁘겠다' 하면서 구성한 거죠. 마지막에는 투표 추이를 봤어요. 내가 좋아하는 여러 명 중에서 떨어질 것 같은 연습생에게 투표하는 거예요. '국민 프로듀서'가 그때 처음 생긴 말이잖아요. '프로듀서? 그럼 내가 구성을 해야 하나?' 하고 그룹을 구성하는 느낌이 컸죠. '노래가 부족하니까 연정이 들어가야 하지 않아?', '비주얼은 정채연과 김도연, 랩 파트는 유정이랑 나영이' 식으로 구성해서 '우리가 프로듀싱했다'는 생각을 했죠. 그런데 워너원 때는 그게 없어졌어요. 센터가 얼마나 중요한지 아니까요. I.O.I가 활동하는 1년 동안 모든 예능에도 1, 2, 3등만 나오고, (1등이었던) 소미에게 '1위', '국민 픽' 타이틀이 붙었잖아요. 그걸 보고 '이건 무조건 센터 싸움이다'라는 생각이 박혀서 경쟁이 더 심해졌죠. 데뷔를 시키는 것만 문제인 줄 알고 '예쁘게 만들자' 했는데 막상 활동하는 걸 보니까 1등만 뜨더라. 그래서 '내 새끼의 친구들 누굴 만들어 줄까?'가 문제가 아니고, '내 새끼를 1등으로 만들자'에 몰두하게 된 것 같아요. 그래서 훨씬 과열됐고요. (J)

그동안의 아이돌 그룹은 〈프로듀스 101〉처럼 센터 위주의 체제는 아니었다. 센터는 팀의 콘셉트나 곡의 분위기에서 중심을 잡아 줄 멤버를 뜻하는 용어일 뿐이었고, 곡에 따라 센터가 바뀔 수도 있었다. 그런데 〈프로듀스 101〉은 센터를 시청자 투표 1위에 대한 보상으로 바꿔 놓았다. 이는 트랜스미디어 스토리텔링의 참여 전략 중 하나로, 시청자를 더 적극적으로 참여시키고 리얼리티 쇼의 재미를 끌어올리기 위한 장치였다. 출연자들이 센터를 두고 벌이는 경쟁은 〈프로듀스 101〉의 캐릭터와 스토리를 만드는 데 핵심적인 역할을 했다. 그래서 '센터 전쟁'은 팬뿐만 아니라 연습생에게도 중요한 서사로 작동했다. 〈프로듀스 101〉 시즌2에 출연한 모든 연습생도 센터가 되기 위해 경쟁했다. 그들은 "프로듀스 101은 센터 위주니까요", "(이번에 떨어지게 될 거 같아서) 꼭 센터는 해 보고 가야겠다" 같은 이야기를 하면서 생존을 위한 최선의 해결책이 센터라고 인식하고 있었다.

과거의 팬덤에는 개인 팬을 이른바 '악개(악성 개인 팬)'로 칭하며 경계하는 문화가 있었다. 이와 달리 프로젝트 그룹의 경쟁 구조는 수용자가 개인 팬이 될 수밖에 없도록 만든다. 개인 팬을 경계했던 팬덤 내부의 암묵적인 규칙이 방송사라는 자본이 제시한 규칙에 의해 깨지고, 새로운 규율과 실천이 생겨난 것이다. 최종적으로 뽑힌 11명의 연습생은 국민 프로듀서들의 원픽 중 가장 많은 득표수를 얻은 순서대로 모인 만큼 하나의 그룹이지만 파편화되어 있다. 팬들의 정체성뿐만 아니라 아이돌의 정체성도 마찬가지다. 기존 그룹은 애초에 하나의 상품으로 기획되어 시장에 나오기 때문에 그룹 내 역할 분담이 잘 되어 있었다. 이와 달리 프로젝트 그룹은 멤버가 역할별로 모이는 방식이 아니라 인기순으로 구성되기 때문에 각자의 역할과 포지션을 새로 짜야 한다. 그러다 보니 멤버들의 포지션이 겹치는 경우도 발생한다. 워너원처럼 메인 댄서가 2명이고, 메인 래퍼도 2명이며, 메인 보컬도 2명이 되는 식이다. 이와 같은 구조에서는 메인이라는 역할의 의미가 달라진다.

하나의 상품으로 기획되어 나온 기존 그룹은 보컬 파트, 댄스 파트, 랩 파트를 나누고 각 역할을 맡을 이들이 모여서 구성된다. 여기에서 '메인'은 각 파트에서 가장 중심이 되는 멤버를 뜻한다. 하지만 워너원의 경우에는 각 파트를 소화할 구성원을 기준으로 뽑은 것이 아니라, 개인의 브랜드 가치를 평가해 11명의 브랜드가 모여서 이루어진 그룹이다. 이런 프로젝트 구조에서는 개인의 여러 능력 중 가장 '메인'이 되는 능력이 그룹 내에서 개인의 포지션이 된다.

프로젝트 그룹의 정체성을 구성하는 핵심 요소는 개방성과 확장성이다. 101명의 연습생 중 누구라도 데뷔 멤버가 될 수 있는 구조였다는 점에서 개방적이고, 다시 11명이 뽑히는 경쟁 서사가 시즌제로 반복된다는 점에서 확장적이다. 이

것이 정체성을 구성하는 한, 프로젝트 그룹 내 멤버들은 완전히 합쳐질 수 없다. 〈프로듀스 101〉은 그룹이 아니라 개인에게 애정을 갖는 팬이 핵심이 되는 구조로 설계됐다. 101명의 연습생 중 누구에게나 애정을 품을 수 있다. 이런 팬들은 센터를 그룹 내 역할 중 하나로 받아들이고, 팀 전체를 좋아하기 이전에 특정 멤버로부터 애정이 시작되는 것을 당연하게 여길 가능성이 높은 새로운 3세대 팬들이다.

사라진 올팬

투표를 통해 데뷔한 프로젝트 그룹에서는 팀보다 특정 멤버에게 더 집중하는 이른바 '개인 팬덤' 현상이 팬 실천의 주된 방식으로 자리 잡게 된다. 과거의 팬 실천과 다른 점이다. 과거에는 한 그룹의 팬이라면 그 그룹의 모든 구성원을 똑같이 좋아했다. 한 치의 오차도 없이 사랑을 주거나, 적어도 그런 척을 했다. 개별 멤버의 팬클럽이 생기면 모든 멤버의 팬클럽에 똑같이 가입하는 식이다. 그룹으로서의 정체성과 구성원 간의 관계가 팬들에게 중요한 서사였기 때문이다. 팬들은 그룹 구성원 간의 관계를 좋아했고, 이를 독려했다. 팬덤의 내부 규율에 '개인 팬 성향을 드러내서는 안 된다'는 중요한 규칙이 존재하기도 했다. 이러한 특징은 2세대에도 드러나지만, 특히 1세대에게 더 두드러진다.

전 진짜 올팬이었다고 생각하는데. 은지원, 강성훈, 제이워크, 이재진 팬클럽 다 가입하고 똑같이 활동했어요. 다 똑같이 콘서트 가고, 팬 미팅 가고, 앨범 샀는데 그걸 강요해서 된 게 아니라 그때는 그냥 그랬다는 느낌. 그래서 진짜로 그룹을 사랑한 느낌이었어요. 지금은 그게 많이 약해져서 (사람들이) 한 멤버만 좋아하지만……. (D)

과거에는 내가 올팬이 아니라는 이야기를 할 수가 없으니까……. 사실 나도 사람인데 누굴 더 좋아하고, 누군 별로고, 그런 감정은 분명히 있었는데 티를 못 냈죠. 1명이라도 안 좋으면 탈덕이지 개인 팬은 있을 수가 없었어요. (J)

그룹 내의 특정 멤버만 좋아하거나, 그룹에 한 명이라도 좋아할 수 없는 멤버가 있으면 차라리 팬이기를 포기하며 '탈덕'해야 했던 과거 팬덤의 내부 규율은 3세대로 넘어오면서 약해지고, 팬들은 점차 개인화되었다. 특히 워너원처럼 한 명의 연습생만을 골라 지지해야 하는 구조에서 탄생한 그룹의 경우 그룹 전체를 좋아하는 개념인 '올팬'은 나오기 어렵다. 2개월 동안 지속해서 경쟁해 왔던 경쟁자들과 갑자기 감정적인 연대를 느끼기 어렵기 때문이다.

올팬일 수가 없어요. 어쨌든 내 최애와 포지션이 겹치는 멤버가 있고, 마치 그 멤버가 전부인 양 사람들이 알고 있는 게 너무 속상하고 화가 나거든요. 그래서 저는 '최애만 보인다'[17]에 가까워요. 다른 멤버는 솔직히 최애와의 관계성이 아니면 관심조차 가지 않아요. 갓 데뷔를 했을 때는 '완전한 개인 팬' 성향에 더 가까웠어요. 내 최애의 무대 분량이 얼마인지, 내 최애 파트인데 카메라가 왜 다른 멤버를 비춰 주는지, 내 최애가 더 잘하는데 왜 다른 멤버만 언급하는지 등등. 그런데 시간이 지나니 그렇게 신경을 곤두세우며 팬질을 하는 것이 너무 피곤해졌고, 주변의 다른 멤버의 팬인 친구의 영향도 받고, 내 최애가 사이좋게 잘 지내는 멤버들이 생기면서 다른 멤버들에게도 마음을 연 것 같아요. 각자의 영역에서 잘했으면 좋겠어요. 하지만 내 멤버의 입지는 뺏지 않으면 좋겠고, 특정 멤버보다는 11명이 고루고루 비춰지면 좋겠고요. 서로 싸움 나지 않고, 피곤해지지 않도록. (P)

파편화된 이들이 감정적 연대를 느끼는 것은 대부분 자신의 최애와 연관된 순간일 때가 많았다. 혹은 과도한 개인 팬 성향 때문에 내부 경쟁이 심해지자 '서로 피곤해지지 않기 위해' 일종의 규칙을 만들면서 나타나는 현상이기도 했다. 젠킨스는 팬덤의 모든 활동이 정서적 몰입과 연관되어 있다고 지적한다.[48] 팬덤이 하나의 통일된 구조를 가진 문화 구성체가 될 수 있는 것은 팬들이 감정적으로 공유하는 감수성sensibility 덕이다. 감수성은 차별discrimination과 구별distinction을 통해 작동한다.[49] 기존 아이돌 그룹 팬덤의 경우 차별과 구별이 다른 그룹 팬덤에 대해 작동했다면, 워너원 팬덤에서는 팬덤 내부로 향한다. 각 멤버별 팬덤이 다른 멤버 팬덤과의 구별 짓기를 통해 자신의 정체성을 찾는 것이다.

> 민현이네는 데뷔하고 나서 유입이 엄청 늘었잖아요. 팬 유입은 공중파에 얼마나 노출되느냐에 따르는데, 민현이가 예능에 엄청 나왔어요. 확실히 그게 걔네(황민현) 팬덤이 갑자기 크게 인기를 끈 요인인 거 같아요. 다니엘, 민현이, 지훈이 팬덤은 딱 돈 쓰는 층이죠. 20대. 그런데 우리 팬덤은 완전히 극과 극이야. 20대가 별로 없더라고요. (A)

과거에는 한 그룹의 팬이면 모두 같은 정체성을 갖고, 특정 멤버의 탈퇴설이라도 나오는 경우에는 팬들의 반대 운동이 벌어지기도 했다.[50] 그러나 워너원의 팬덤은 끊임없이 다른 멤버의 팬덤을 타자화한다. 그리고 인기도부터 각 팬덤이 어떤 성향을 가졌는지까지 구분하는 특성을 보인다. 인터뷰를 진행한 모든 참여자는 공통적으로 개인 팬 성향을 보였다. 정도의 차이는 있었지만, 워너원이라는 그룹을 좋아하는 정체성을 가지고 있으면서도 좋아하지 않는 멤버에게 무관심하기도 했다.

> 제 친구는 공방(공개 방송)을 정말 열심히 다녀요. 사녹(사전 녹화) 하면 무대를 세 번, 네 번 하잖아요. 그리고 거기 가면 원래 모르는 사이이던 팬들이 친구가 돼요. 그러면 녹화 끝나고 나와서 이야기를 하는데, 자기 최애가 아닌 멤버는 어디에서 있었는지도 기억이 안 난다는 거예요. 만약 A가 분홍 셔츠를 입어서 그 팬이 다른 사람한테 'A 분홍 셔츠 너무 예뻤다'고 하면, 그 사람은 다른 멤버 팬이니까 A가 셔츠를 입었는지, 티셔츠를 입었는지조차 모르는 거죠. 오직 자기가 좋아하는 멤버만 보는 거예요. 전체적인 그림을 보는 게 아니라. (C, 20대 후반, 2·3세대 팬덤 경험, 지방 팬클럽 버스 총대 경험)

이러한 특징은 어느 정도 경험적 학습의 결과이기도 하다. 과거 많은 아이돌 그룹이 해체하는 것을 본 팬들은 더 이상 그룹이라는 정체성에 의미를 두지 않는다.

> 그룹이 영원하지 않다는 걸 이미 알고 있으니까요. 그런데 개인은 사라지지 않잖아요. 그러니까 한 개인만 보고 가는 거죠.

그래서 개인이 얼마나 상품 가치가 있느냐가 중요해요. 10년 치 상품 가치를 갖는다면 그걸 보고, 그때부터 걔를 서포트해 주는 거죠. 그룹 팬을 하려면 이 그림이 영원히 유지될 거라는 허구의 믿음이 있어야 해요. 우리는 하나고, 영원할 거라는 게 동력이 되니까요. 그런데 그럼에도 불구하고 (이전의 아이돌 그룹들은) 멤버들이 다 나갔으니까⋯⋯. (C)

C가 이야기한 것처럼, 2세대를 거치면서 팬들은 몇 번의 경험을 통해 그룹의 의미를 유연하게 받아들이기 시작했고 그에 따라 워너원 이전의 팬덤에도 어느 정도 개인 팬 성향이 생기기 시작했다. 하지만 개인 팬 성향은 3세대 프로젝트 그룹의 시대에 본격적으로 자리를 잡으며 워너원 팬덤의 상징이자 정체성이 되었다.

저랑 친구랑 '서울가요대상' 갔을 때, 저희 앞에 B그룹(2세대 아이돌) 팬이 있었어요. 저희가 워너원이랑 뉴이스트 보러 왔다고 하니까. "어? 최애가 누구예요?" 바로 그렇게 물어보더라고요. 12살인가 13살, 초등학생이었는데! 그냥 자동이에요. 워너원이라고 하면, "최애가 누구세요?", "그중에 누구?" 꼭 이렇게 물어보잖아요. 그래서 저는 황민현이라고 하고, 걔한테 너는 최애가 누구냐고 했더니, "저는 올팬인데요?" (E)

우리는 '프듀(프로듀스 101)' 출신이니까 최애가 있을 거라 생각한 거죠. 근데 자기는 B그룹이니까 올팬이라는 거죠. "나도 뉴이스트 올팬이야!"라고 그랬는데 걔가 우리는 그럴 리가 없대요. (F)

저희도 계속 물어봤어요. "솔직히 말해. 어떻게 올팬이야. 빨리 말해 봐" 그러니까 결국에는 A 멤버라 하더라고요. 그런데 되게 쑥스럽다는 듯, 되게 숨기는 거 마냥, "난 올팬이야. 근데 굳이 고르자면, A 멤버." 그런데 저희한테는 당연하다는 듯이 올팬이 아니라고 했잖아요. 워너원은 진짜 판도가 달라지는 거 같아요. (E)

'최애'라는 단어가 3세대 팬덤 내에서 비교적 보편적으로 쓰이기 시작하면서 자신이 좋아하는 것을 드러내는 자기표현 방식이 문화적 현상으로 자리 잡았다. 이제 최애는 '최애 영화', '최애 유튜버', '최애 캐릭터'와 같이 문화 콘텐츠 전반에서 취향을 표현하는 일반적인 용어가 되었다. 수용자가 자신의 취향을 적극적으로 드러내고 표현하는 시대가 된 것이다.

팬덤 문화가 변화하면서, 1세대 아이돌 그룹을 오랜 기간 좋아해 왔던 팬덤은 혼란을 겪기도 했다. 당연하게 여겼던 과거의 올팬 문화에 부담을 느끼고, 이 문화가 자기 검열을 불러

온다고 생각하며 결국 개인적인 팬 활동을 선택한 팬도 있었다.

저는 젝스키스 인장을 달고 트위터에서 움짤을 만드는데, 제
일 좋아하는 멤버가 있어요. 그런 건 어쩔 수 없잖아요. 그래
서 어쩌다 보니 그 멤버의 움짤만 엄청 많은 거죠. 그러면 다른
젝키 팬들이 달려와서 뭐라고 과녁 저격하는 거예요. '왜 젝키
팬 인장 달면서 특정 멤버 사진만 올리냐, 개인 팬 아니냐'. 이
런 일이 반복되니까 나는 올팬이 맞는지 계속 자기 검열을 하
게 되더라고요. 그러다 보니까 사진도 하나 제대로 못 올리겠
는 거예요. 그런 분위기가 너무 싫었어요. 왜 내가 스스로 검
열해야 하고, 스트레스를 받아야 하는지. 그래서 그 트위터 팔
로우 수도 엄청 많았는데, 그 계정 그냥 버리고 저만 아는 비
공개 계정을 만들어서 활동하기 시작했어요. 엄청 편해요. 마
음대로 사진 올릴 수 있으니까. 그리고 생각했죠. 어차피 혼자
하던 덕질, 그냥 나 혼자 해야겠다고. (O, 30대 초반, 1세대 팬
덤 경험, 트위터 계정 운영, 스밍단 활동가)

줄 세우기 문화

파편화된 애정을 가진 팬덤은 끊임없이 경쟁한다. 특히 워너
원은 해체 시기가 정해져 있는 그룹이고, 해체 후의 미래가 보
장되어 있지도 않았기 때문에 과거보다 더 고도화된 경쟁을

할 수밖에 없었다. 기존 팬덤이 타 그룹과의 경쟁을 통해 스타의 가치를 만들어 냈다면, 지금은 더 세부적인 단위에서도 경쟁이 벌어진다. 타 그룹과의 경쟁에도 신경을 쓰면서 동시에 그룹 내 멤버들과도 경쟁해야 하는 것이다. 팬덤은 이를 위해 매일 노동을 반복하고 전략을 짠다. 각 멤버들은 프로젝트 그룹 해체 후에는 각자 스타로서 살아남아야 하기 때문에 그룹 내 생존이 중요하다. 그래서 팬들은 전략가이자 홍보 및 마케팅의 전문가가 되어야만 했다.

데뷔 후 워너원 팬덤 내부에서는 신곡이 나올 때마다 분량 논쟁이 벌어졌다. 멤버별로 노래를 몇 분간 불렀는지 확인한 후, 분량이 적은 멤버의 팬들은 트위터 내 해시태그 운동을 통해 이의를 제기하기도 했다. 데뷔 투표 1등을 했던 강다니엘의 경우 1위이자 센터임에도 분량이 너무 적다는 이유로 항의가 빗발쳤고, 이후 공개되는 무대 대부분에서는 시작과 끝을 모두 이 멤버가 담당하게 되었다. 2등을 했던 박지훈 역시 데뷔 곡에서의 분량은 꼴찌라는 이유로 팬들의 항의가 계속되었다. 팬들의 항의는 문제 제기에 그친 것이 아니라 실제로 변화를 만들어 냈다. 데뷔 곡 〈에너제틱〉에서 강다니엘의 분량은 7.9퍼센트로 다섯 번째 순위였는데, 다음 앨범 타이틀곡 〈Beautiful〉에서는 16.9퍼센트로 분량 1등을, 박지훈은 9.2퍼센트로 네 번째 순위가 되었다. 기존 아이돌 그룹에서는 그룹의 메인 보컬이 곡에서 가장 많은 분량을 차지하는 것이 자연스러웠다면, 워너원에서는 데뷔 순위와 인기도가 분량 배분에 더 중요한 기준이 되었다. 이러한 분량 논쟁은 워너원 멤버들의 예능 프로그램 출연에서도 마찬가지였다.

이러한 줄 세우기 문화는 팬들의 소비를 촉진하는 산업의 전략이기도 하다. 워너원이 광고하는 모든 제품은 치약, 티셔츠, 과자까지도 멤버별로 판매했다. 한때 이들이 광고하는 물건을 파는 업체에서 프로모션 중 재고를 그대로 공개했다가 멤버별로 다른 수량을 구비하고 있었다는 사실이 밝혀지면서 팬들의 항의를 받기도 했다. 인기가 많은 멤버만 많은 수량이 준비되어 있다는 사실에 다른 멤버의 팬들은 불만을 가졌고, 구매 의욕을 불태우기도 했다. 줄 세우기 전략은 자신이 좋아하는 멤버와 관련된 소비 활동의 이유이자 동력이 되고, 이는 산업의 이익을 극대화하는 결과를 낳는다. 한편으로는 팬과 산업의 관계를 강화하기도 했다. 팬의 몰입도가 증가하는 동시에 제작자도 팬들에게 더 많은 역할을 맡기면서 의존도를 높이는 것이다.

이런 줄 세우기가 또 팬질을 하게 되는 동력인 거 같아요. 매번 순위 때문에 스트레스 받으면서도 그게 동력이 되는 거죠. 내가 내 가수한테 더 도움이 되고 있다는 생각도 들고, 내 가

수도 팬한테 더 고마움을 느끼게 될 거 같고요. 또 유닛 팀명 고르는 거나 팬클럽 이름부터 그룹 이름까지 다 팬에게 정하라고 하니까 우리 없으면 안 될 것 같은 느낌이 들어요. (Q)

팬덤 내 경쟁은 프로젝트 그룹의 공통된 현상이다.

어쨌든 경쟁 프로그램에서 만났다 보니까 쇼케이스든 콘서트든 팬들이 함성 소리로 싸워요. 다른 아이돌 콘서트나 무대를 보면 한 명 한 명이 나올 때마다 소리를 지르지는 않는데, JBJ 같은 경우에는 멤버들이 한 명씩 자기 파트를 하면 팬들끼리 싸우듯이 소리를 지르고. 멘트를 할 때도 함성 소리로 경쟁을 하는 것 같이. (G)

경쟁은 한 멤버의 팬덤 내부를 파편화시키기도 한다. 워너원 멤버 중에는 〈프로듀스 101〉에 출연하기 전에 다른 그룹의 멤버였던 이들도 있다. 이런 경우에는 워너원으로서의 정체성과 이전 그룹 멤버로서의 정체성이 중첩되면서 팬덤 내부에 미세한 균열이 생긴다. 황민현은 〈프로듀스 101〉에 출연하기 전에 그룹 뉴이스트의 멤버이기도 했다. 한 멤버가 두 그룹의 정체성을 가지고 있기에, '워너원으로서의 황민현'을 좋아하는 팬덤과 '뉴이스트로서의 황민현'을 좋아하는 팬덤은 구별된다. 이때 타 그룹에 대한 경쟁이 생기는 동시에 그룹 내 경쟁까지 수행하는 두 가지 방향의 복잡한 현상이 발생하는데, 이는 3세대 팬덤의 고도화된 경쟁 구조를 잘 보여 준다.

> 워너원으로서의 민현이를 좋아하는 팬덤은 워너원에 차애가 있는 거죠. 그러니까 뉴이스트 다른 멤버에는 입덕을 못한 거죠. 그런 경우에 뉴이스트는 아예 다른 그룹이라고 생각하는 거 같아요. (E)

> 워너원에서도 어차피 내부 경쟁이잖아요. 서열이 정해지는 거잖아요. 그런데 민현이의 경우엔 이 사람을 워너원 민현이 팬들도 좋아하고, 뉴이스트 팬들도 좋아해요. 그렇게 양쪽에서 좋아하니까 (팬덤이) 커지잖아요. 그런데 이게 워너원의 다른 멤버 팬덤 입장에서는 신경 쓰일 수 있죠. 경쟁해야 하는데 저 그룹 팬까지 얘를 좋아해 주니까. (F)

복잡한 경쟁 구도 속에서 팬덤은 어떻게 움직여야 더 이득이 될지를 팬 실천의 기준으로 삼는다. 워너원의 한 개인 멤버 팬 커뮤니티는 통합 검색 추이를 활용해 멤버별 개인 브랜드의 파급력 순위를 집계한 적이 있다. 그런데 그 과정에서 자신의 팬덤이 검색 순위 1위가 되도록 팬들에게 검색을 반복하는 노동을 강요했다는 정황이 그룹 전체의 팬 커뮤니티에 포착돼 논란이 됐다. 이러한 일이 여러 차례 발생한 후에 그룹 커뮤니티에서는 팬덤 내부 규율을 만들기도 했다. 워너원과 관련된 기사 등에 댓글을 달 때 지켜야 하는 내부 규칙이다.

하지만 내부 규칙에는 강제성이 없고, 경쟁은 여전하다. 팬덤 내 경쟁은 그룹의 유닛 활동에서 더 두드러졌다. 워너원은 엠넷의 음악 리얼리티 프로그램 〈워너원 고 : 엑스콘〉을 통해 네 개의 팀으로 나뉘어 활동하기도 했다.

> 유닛 활동에서 그게 더 드러난 거 같아요. 오히려 멤버별로 유닛을 구성해서 음반을 내니까 음원 순위나 앨범 판매량이 더 신경 쓰이는 거죠. 그냥 워너원 자체였을 때는 음원 순위가 그렇게 신경 안 쓰였는데……. 유닛 구성되자마자 가장 기대되는 유닛 투표도 기사로 떴는데 신경이 안 쓰일 리가 없잖아요. (Q)

순위에 집착할수록 스트리밍 등 노동의 강도는 더 심해진다. 순위나 검색량을 경쟁적으로 올리려 하는 과열된 현상 속에서 몇몇 팬들이 다른 팬에게 노동을 강요하게 되거나, 그에 부담을 느끼는 팬이 생기기도 한다. 애정을 기반으로 모인 팬덤이지만 과도한 경쟁에 노출되면서 팬덤 내 갈등이 발생하는 것이다. 새로운 팬덤은 디지털 경제 속에서 무임 노동

free labour을 하면서 스타의 그룹 내 생존을 위해 치열한 팬 실천을 하고 있었다.

취존 문화의 주체성

팬 실천이 파편화되면서 개인의 소비 방식에도 변화가 일어났다. 파편화된 애정을 수행하는 팬덤 내에서는 팬들의 애정 방식에 대한 내부 규율이 과거에 비해 자유롭다. 다른 사람의 애정에 왈가왈부할 일이 적어지는 것이다. 팬들은 이러한 성향을 '취존(취향 존중)', '마이 웨이my way 문화'라고 표현했다. 파편화된 애정이 팬덤 내 경쟁을 부추기는 측면도 있지만, 개인의 자유는 더 커진 셈이다. 이는 1세대 팬이 올팬 강요 문화에서 벗어나기 위해 스스로 고립을 선택하는 현상과도 맞닿아 있다.

> 그야말로 '취향이니 존중합니다'. 취존은 개인 팬 성향과 직접적 영향이 있겠죠. 사실 멤버 중 누구 한 명만 좋아하든, 다 좋아하든, 다 좋지만 누구 한 명은 싫어하든, 그건 각자 자기 마음이잖아요. 저는 반드시 올팬일 것을 강요할 필요도 없다고 보고, 누군가가 저에게 그걸 강요하는 것도 싫어요. '열한 명 다 각각의 매력이 있으니 좋아해라'가 아니고, 열한 명 다 각각의 매력이 있으니 골라서 좋아할 수 있는 거죠. 좋아하는 취향도, 싫어하는 취향도, 다 존중하는 게 취존이고, 취존이라는 개념 덕분에 개인 팬들도 (과거와 달리) 팬으로서 존중받을 수 있는 거라고 생각해요. (P)

자유는 취향이라는 주체성을 심어 주었다. 팬이 기획자이자 전략가로 활동하는 현상 역시 팬 개인의 주체성을 높였다. 원하는 기획을 실현하기 위해 전략을 짜면서 자신이 어떻게 행동해야 하는지 결정하기 때문이다. 팬 개인은 주체적이고 주관적인 방식으로 스타의 태도와 행동을 판단하게 된다. 과거 아이돌 팬덤은 팬의 진정성을 인정의 기준으로 삼았다. 스타를 비판하지 않는 것이 팬 진정성의 증명이고, 소비로 충성심을 보이는 것이 팬덤의 일이며, '조공' 등으로 스타의 일거수일투족을 응원하는 것이 팬덤의 일이었다.[51]

　　반면 주체성을 가진 새로운 팬덤은 자신의 주관적 판단을 토대로 스타에 대한 태도를 결정한다. 2018년 3월 워너원은 세 번째 앨범 발매일에 예기치 못한 사고를 겪었다. 컴백 쇼 직전, 출연이 예정되어 있던 엠넷 〈스타 라이브〉 인터넷 생중계 방송에서 방송이 시작되기 직전의 대기실 모습이 여과 없이 전파를 타게 된 방송 사고였다. 그 과정에서 대기실에서 이루어진 대화가 그대로 송출되었다. 과도한 스케줄과 기획사의 정산 문제를 주제로 한 대화가 포함되었고, 대화 중에 욕설이 들렸다는 주장이 제기돼 팬덤 내에서 갑론을박이 일어났다. 초반에는 스타로서의 태도가 경솔했다는 주장이 나왔지만, 냉소적인 듯했던 팬들이 다시 스타를 지켜 내면서 사건이 일단락됐다. 과도한 스케줄로 인한 수면 부족에 대한 이야기는 아이돌의 강도 높은 노동 문제에 대한 비판으로 쟁점이 바뀌었다. 욕설 논란은 팬들이 직접 전문 기관에 성문 분석을 의뢰해 욕설이 아니라는 사실을 밝혔다. 이 사건은 이전과는 달라진 팬 주체성을 단적으로 보여 준다. 팬의 진정성 측면에서 무조건 옹호한 것이 아니라, 먼저 사건의 옳고 그름을 판단하고, 토론한 후에 해결을 위한 행동에 나섰다는 것이 과거와 달라진 점이다.

당시의 여론 흐름을 따라가 보자면, 방송 사고가 터진 직후 팬들은 가장 먼저 워너원의 태도에 대해 이야기했다. 워너원을 데뷔시키기까지 팬들의 노력이 컸는데, 팬들이 보지 않는 곳에서 '스케줄 투정'을 하고 있다는 이유였다. 이와 관련된 태도 비판 글들은 여러 커뮤니티를 통해 급속도로 퍼져서 초반의 지배적인 여론을 형성하기도 했다. 팬들의 이러한 반응은 과거와는 확연히 다르다. 과거 팬덤은 자신들이 좋아하는 스타가 논란에 휩싸이면 일단 그들을 감싸거나, 사건을 언급하지 않음으로써 논란의 확산을 막는 전략을 취했다. 팬덤의 진정성 측면에서 그런 대응이 요구되기도 했다.

제가 2세대 아이돌 좋아했을 때는 (그 아이돌이) 방송에서 욕한 적이 있었거든요. 그때는 어려서 그랬나, 그냥 아무렇지도 않고, 문제라고 생각하지도 않았어요. 이번엔 그냥 잠투정한

거로 욕먹으니까……. (B, 20대 후반, 2·3세대 팬덤 경험, 커
뮤니티 활동가)

하지만 달라진 팬덤은 주체적인 판단을 바탕으로 논란
에 대응한다. 그 과정에서 일종의 표현의 자유를 얻은 것처럼
다양한 의견들이 나오고, 인터넷 커뮤니티는 갑론을박이 펼
쳐지는 하나의 공론장이 되었다. 스타에 대한 부정적인 의견
도 적극적으로 개진하는 것이 가능한 분위기다.

최근 팬덤의 큰 특징 중 하나는 여성 혐오 논란이 생긴
스타와 남성 아이돌 그룹의 주된 소비층인 여성 팬덤 사이의
갈등이다.[52] 팬덤은 여성 혐오 논란이 인 스타에게 옳지 않음
을 지적한다. 워너원의 방송 사고는 이러한 측면에서 더 논쟁
적이었다. 사고 영상 속에서 들렸다는 주장이 제기된 욕설이
성적인 의미를 포함하고 있었기 때문이다. 팬들은 자신의 입
장을 분명히 하기 위해 더 빠르게 판단하고 행동했다.

인터뷰 참여자들은 이 과정에서 파편화된 팬덤의 특징
이 드러났다는 이야기를 들려줬다. 문제의 욕설이 들릴 때 목
소리의 주인공이 화면에 나오지 않았기 때문에 누구의 목소리
인지를 두고 그룹 팬덤 안에서 갈등이 발생한 것이다.

팬덤은 각자의 해명 전략을 짜야 했다. 한 멤버의 팬덤
은 직접 전문 기관에 성문 분석을 의뢰해 해명에 나서기도 했

다. 결과적으로는 성문 분석을 통해 어떤 멤버도 그런 욕설을 한 적이 없다는 사실이 해명되면서 여론이 전환되었다. 해당 멤버의 의혹을 소속사가 아닌 팬들이 직접 해명했다는 점에도 주목할 수 있지만, 팬들은 바로 그 부분에서 불만을 제기했다. 팬들은 이런 역할은 소속사가 나서서 했어야 한다는 점을 지적했다.

사건의 쟁점이 소속사와 팬덤의 역할로 전환되면서 팬덤은 "내 가수를 지킬 수 있는 건 소속사도 그 누구도 아닌 정말 우리(팬)밖에 없구나"(Q)와 같은 여론을 형성했다. 스타와의 끈끈한 감정적 연대는 더욱 강력해졌으며, 행동력을 보여준 팬덤의 힘은 더욱 부각되었다.

주목할 점은 팬덤이 자신들의 주관적인 시선으로 사건을 바라보기 시작했다는 점이다. 팬덤은 빠른 판단을 내린 후 소신에 따라 전략적인 태도와 행동을 취한다. 소신에 맞지 않는 멤버가 있다면 그 멤버를 자신의 애정에서 배제하는 태도를 취하기도 한다. 이는 파편화된 애정에서 출발하는 태도다.

A 그룹도 최근에 멤버 중 하나가 성 관련한 민감한 사건 터지고 그걸로 팬덤이 분열되었는데, 이제 서서히 팬들이 그런 측면에서 올바름과 아님을 구분할 수 있게 된 거 같아요. 그때 몇몇 팬들이 그 멤버는 이제 그룹의 멤버가 아니라고 생각했

어요. C 그룹도 그래요. 어떤 멤버가 논란이 있었는데, 그 멤버를 받아들이지 않겠다. 이렇게 그 멤버를 배척하는 사람을 n인단이라고 부르기도 해요. (I, 20대 후반, 1·2·3세대 팬덤 경험, 광고·서포트 참여)

B 멤버에게 성 관련 논란이 있고 나서 팬덤이 분열됐어요. B를 품느냐 마냐로 구분되는데, 솔직히 저는 잘 모르겠어요. 그래도 가끔 그 멤버 보면 마음이 불편하고……. 그래서 n인단이라는 말도 나왔어요. 그 멤버 안 품고 몇 명까지 좋아하느냐로 올팬과 n인단이 SNS에서 엄청 싸웠어요. (F)

과거 팬덤은 자신들이 좋아하는 그룹에 문제가 된 멤버가 있어도 그룹에 대한 애정은 유지하는 편이었다. 그러나 지금의 팬들은 그렇지 않다. 사안을 자유롭고 주체적으로 판단하고 행동한다. 특히 여성 혐오와 관련해서는 더 엄격하다. 인터뷰 대상자 중 한 명은 이를 두고 "덕질 위에 여권 있다"(I)고 표현하기도 했다. 개인이 중요하게 생각하는 가치관이 스타에 대한 애정보다 우위에 있음을 알 수 있다.

나만의 이상적 그룹 만들기

주체성은 유동성으로 이어진다. 팬 개인은 기준에 따라 좋아하는 스타를 골라 파편화된 애정을 보낸다. 산업이 제시한 그룹 단위가 아니라 일부 멤버에게 최애나 차애 등의 지위를 부여한다. 심지어 최애는 서로 다른 그룹에 여러 명이 있을 수 있고, 팬들은 이를 거리낌 없이 드러낸다. 파편화된 애정은 언제든 다른 최애나 차애로 이동할 수도 있다. 이는 그룹 팬덤에 소속되고, 그것을 개인의 정체성으로 여겼던 과거의 팬덤과 매우 다른 점이다.

세대를 불문하고 팬덤 문화의 가장 기본적인 특징은 팬덤 안과 밖이 구분된다는 것이다. 팬덤은 사회적, 대중적, 미학적으로 외부 집단과 구분되는 차별을 행하는데[53], 이로 인해 생기는 팬 공동체와 외부 사이의 경계선이 팬덤의 정체성을 구축한다.[54] 이를테면 특히 과거의 1세대 팬들은 타 그룹과 구별되는 정체성을 갖기 위해 하나의 그룹만을 전적으로 좋아하며 그룹 사이에 경계를 설정하고 다양한 전략을 수행했다. 1세대 팬덤의 구별 행동은 그룹별로 다른 색의 옷을 입고 콘서트 관객석에 구역을 만드는 방식으로 나타났다. 이러한 관행은 팬 개인이 주체성을 가진 유동적인 존재가 되면서 희미해졌고, 1세대 팬덤의 특징으로 남았다.

> H.O.T.랑 젝키는 담벼락이 눈으로 보이죠. 지금은 드림 콘서트 가면 섞여 앉잖아요. BOF(부산 원 아시아 페스티벌) 같은

거요. 그런데 (다른 팬들이) 젝키 팬들은 특이하다고 하는 게, 옛날 버릇을 못 버리고 '우리 존'을 만든다고. 시상식에서 '40구역에 모입시다' 하면, 자기가 가진 표가 1층이라도 3층에 있는 사람이랑 바꿔서까지 옮긴단 말이에요. 우리가 정한 구역에 앉는 다른 팬한테 내가 가진 더 좋은 표 주면서 '1층 가서 보실래요?' 하면 가요. 자리가 더 좋으니까. 우리는 '존'을 만들려고 하죠. 그게 1세대 팬덤 특징이에요. 자리를 채우는 게 팬덤 화력이니까. 예전에는 좋은 자리를 선점하려는 싸움이 심했는데, 요즘은 그런 게 없어요. (O)

요즘엔 구역이 안 정해져 있으니까. 그냥 이 구역 우리가 쓰고 싶다고 인터넷과 구역 자리에 뿌려 놓아요. 거기 앉는 애들이 다른 그룹 팬이어도 '우리가 오늘 여기서 이벤트를 할 건데, 너네가 하이라이트 나올 때 이걸 같이 들어 달라'고 자리에 이벤트 안내문이랑 슬로건, 부채를 올려놓는 식으로 하더라고요. (A)

인터넷 팬덤 문화에서는 SNS 계정을 통해 정체성을 표현하고 의견을 표출하며, 외부 집단과 구별하는 경우가 늘었다. SNS와 같이 여러 계정을 소유할 수 있는 환경에서는 팬덤 간 경계를 넘나들 수 있는 여지가 커진다. 프로젝트 그룹을 좋아하는 3세대 팬들은 과거 팬덤과 달리 동시에 여러 스타의 팬이 될 수도 있다. 〈프로듀스 101〉에서는 경연마다 여러 조합으로 연습생 그룹이 탄생했다. 프로그램을 지켜보던 팬들은 자연스럽게 최애를 중심으로 한 다양한 조합을 상상하게 된다. 그를 기반으로 한 투표 과정은 팬 개인에게 유동적인 존재가 될 가능성을 보여 주었다. 다양한 멤버에게 동시에 애정을 품을 수 있게 된 것이다. 여기에서 더 나아가 팬들은 자신만의 바구니에 그룹별로 최애를 쓸어 담기도 한다.[55] 몇몇 팬들은 SNS에서 공개적으로 '아미블(방탄소년단 팬클럽 '아미'와 워너원 팬클럽 '워너블'을 이용한 조어)'이라거나 '너블 당근(워너블과 세븐틴 팬클럽 '캐럿'을 이용한 조어)' 같은 합성어를 사용하며 '겸덕'이라는 사실을 드러낸다. 3세대 온라인 팬덤의 이러한 활동은 프로젝트 그룹에서 비롯된 현상이다. 개인적인 취향에 맞는 스타, 혹은 최애와 관계성이 있는 누구라도 자신만의 이상적인 그룹으로 상상할 수 있는 여지가 있는 것이다.

(아미블, 너블 당근은) 예전이면 총 맞을 일 아니에요? 〈응답하라 1997〉 보면 주인공이 H.O.T. 팬인데, 친구가 H.O.T. 팬이었다가 젝스키스 팬이 돼요. 그런데 주인공한테 얘기를 못 해요. 반에서 거의 매장이니까. 나는 '클럽 H.O.T.'인데, 젝키로 갈아탔다는 걸 말하는 순간 완전 망하니까. 그래서 막 앞에서는 'H.O.T. 오빠!' 이러면서, 집에는 막 젝키 포스터 붙

어 있잖아요. (O)

예전에는 상상도 못 하던 일이죠. 어떻게 감히 다른 오빠를 좋아해요. 그렇게 말하는 순간, '철새 팬'이니 뭐니 팬으로 취급을 안 했어요. 지금은 딱히 신경 안 쓰이는 거 같아요. 아이돌도 워낙에 많아졌고……. (I)

팬들은 해시태그 행동주의를 통해 이런 정체성을 표현한다. 해시태그는 트위터나 페이스북, 인스타그램 등과 같은 소셜 미디어에서 기호 '#' 뒤에 특정 단어를 붙여 쓰면 추후 검색을 통해 글을 모아서 볼 수 있는 기능이다. 해시태그 행동주의란 이러한 해시태그의 특성을 이용해 특정 단어를 선정하고, 관련된 다수의 글을 생산함으로써 여론을 만들어 가는 것을 의미한다.[56] 사람들은 해시태그를 통해 사안 중심으로 모일 수 있다. 이를 활용해 정치적인 사회 행동을 하는 것을 연결 행동이라고 한다.[57] 사회적 행동을 하면서 자신의 유동적 정체성을 드러낸다는 것은, 과거에 비해 정체성을 표현하는 일이 쉽고 자유롭게 일어나고 있음을 보여 준다.

유닛 소취 해주세요

유동성은 그룹 사이의 담을 무너뜨린다. 속한 그룹이 다르더라도, 자신이 좋아하는 이들로 그룹 구성원을 조합해 하나의 유닛을 만들기도 하고 이들의 유닛 활동을 염원하기도 한다. 팬들은 '소취(소원 성취)'라는 단어를 통해 자신의 바람을 표현한다. 트위터상에서는 자신이 원하는 조합을 만들어 예능 프로그램 촬영을 했으면 좋겠다는 입장을 밝히는 글이 많다. '유닛 소취 해주세요'라는 문구는 온라인에서 쉽게 볼 수 있다.

> 제 최애가 친한 타 그룹 멤버들이 있어요. 소속사는 모두 다르지만. 한 번 방송에서 만나면 직캠도 엄청 뜨고, 움짤도 많고. 얘네를 같이 좋아하는 팬들도 꽤 있는 거로 알아요. 그중 한 명이 직접 인터뷰에서 유닛 활동 하고 싶다고 말하기도 해서 유닛 활동 바라는 팬도 꽤 될걸요? (Q)

이러한 유닛 조합은 과거의 스타들에게도 드물게나마 있었던 현상이지만, 이를 받아들이는 팬덤의 반응은 확실히 달라졌다. 과거에는 새로운 멤버를 영입할 때 반대가 심했고, 타 소속사 그룹의 멤버와 함께 만든 유닛을 탐탁지 않게 느끼거나 여기에 참여한 멤버는 그룹 활동에 소홀하다고 인식했다. 반면 지금은 팬들이 오히려 경계를 넘은 조합을 원한다. 실제로 소속사를 뛰어넘어 결성되는 유닛 활동의 사례도 최근 들어 증가하고 있다.

단순히 친하다고 해서 그렇게 되는 건 아닌 게, 과거에는 A 소속사 A 멤버랑 B 소속사 B 멤버랑 엄청 친해서 유닛 앨범을 냈는데 팬들이 별로 반응이 없었어요. (G)

제 기억에 (과거에는) 그런 식의 유닛 그룹을 내면, 오히려 '배신자'처럼 생각하는 팬도 있었던 거 같아요. (I)

슈퍼주니어가 그런 프로젝트 그룹의 시작인 거 같기도 해요. 그때 이수만 SM 엔터테인먼트 회장이 멤버 탈퇴랑 영입이 자유로운 콘셉트로 브랜드 그룹 만든다고 했는데 그거 팬들이 아무도 안 받아 줬잖아요. A 멤버 처음 들어왔을 때도 반대한다고 난리였고……. (A)

하이라이트 이기광이랑 샤이니 태민이랑 슈퍼주니어 은혁이랑 같이 춤 예능을 찍게 되었거든요. 근데 팬들이 예전 같았으면 그냥 그렇구나 할 텐데. 그 기사 뜨자마자 서포트 모금하고, 바로 팬들끼리 이 조합으로 예능 찍는 김에 유닛 활동 하자고 말하고 있어요. (J)

팬들의 염원은 그룹이나 소속사를 뛰어넘은 유닛 활동을 성사시키기도 한다. 대표적인 것이 프로젝트 그룹 'YDPP'

다. 〈프로듀스 101〉 시즌2에 출연했던 정세운, 임영민, 김동현, 이광현으로 구성된 그룹이다. 이들의 소속사는 스타쉽 엔터테인먼트와 브랜뉴 뮤직으로 다르지만, 팬들이 만든 조합 '영동포팡(임영민, 김동현, 정세운, 이광현의 별명 한 글자씩을 조합한 단어)'으로 실제 그룹이 만들어졌다. 이밖에 JBJ의 멤버 김상균과 켄타로 구성된 'JBJ95', 〈프로듀스 101〉 시즌2에 출연했던 김성리, 변현민, 서성혁, 이기원, 장대현, 주원탁, 홍은기로 구성된 프로젝트 그룹 '레인즈'도 있다. 스타쉽 엔터테인먼트 소속 걸 그룹 '우주소녀'의 설아, 루다와 판타지오 소속 걸 그룹 '위키미키'의 유정, 도연으로 구성된 4인조 프로젝트 그룹 '우주미키' 또한 소속사의 경계를 넘어선 유닛 프로젝트의 사례다. 3세대 팬덤은 소속사가 다른 그룹의 멤버들이라도 조합하길 원한다면 적극적으로 의견을 개진하고, 또 그것이 실현될 가능성을 인지하며 행동력을 보이고 있다.

행동하는 소비자

3세대 팬덤의 가장 큰 특징은 팬들이 원하는 아이돌 그룹을 만들고, 데뷔시키고, 콘셉트나 의상, 분위기, 그룹의 정체성 등에 대해 적극적으로 의견을 낸다는 점이다. 자신의 의견을 적극적으로 표현하고 권리를 주장하는 소비자 행동주의라고 할 수 있다. 특히 JBJ는 소비자들의 집단 지성으로 데뷔하게 된 상당히 이례적인 그룹이었다.

기존 아이돌은 당연히 데뷔한 다음에 좋아하게 되었고, 기획사의 영향력이 컸어요. 그런데 JBJ는 팬덤이 조합을 만들고 얘네가 가치 있다는 걸 어필했고, 거기에 소속사 후너스(JBJ 멤버 김상균의 당시 소속사)가 관심을 보였죠. 그러다 로엔 엔터테인먼트에서 관심을 보인다는 이야기가 나오니까 다시 팬들이 대폭발을 했어요. 애들이 인터뷰에서 그룹 하고 싶다고 하니까 팬들이 '이건 미친 듯이 (서포트를) 해야 한다'. 그중 하나가 네이버 실검(실시간 검색어) 올리기예요. 검색어에 올렸어요. 그걸 또 (JBJ 조합의 멤버) 김동한이 캡처해서 올리고, 팬들은 좋아서 난리 나고. 팬들은 내 가수의 기획사가 자본이 부족하고, 기획력이 부족하다는 걸 알아서 언제 다시 볼 수 있을지 모르는 상태인데, 애들이 자꾸 (JBJ에) 관심을 보이니까요. (D)

JBJ는 팬들이 만든 조합에 기획사가 투입되면서 데뷔가 결정되었다. 여섯 멤버의 소속사가 모두 달랐던 만큼 이들의 매니지먼트 방식은 독특하다. JBJ는 로엔 엔터테인먼트와 CJ E&M이 공동 투자를 맡고, 제작과 마케팅은 CJ E&M이, 총괄 매니지먼트는 로엔 엔터테인먼트 산하 레이블인 페이브 엔터테인먼트가 분리해 담당하는 구조로 데뷔했다.[58]

〈프로듀스 101〉이 사용한 트랜스미디어 스토리텔링 전략은 팬덤의 참여를 적극적으로 독려한다. 워너원은 그룹 명, 팬클럽 이름, 데뷔 곡, 유닛 이름, 숙소 룸메이트 매칭까지도 팬들의 투표로 함께 만들어 왔다. 이러한 측면에서 3세대 팬덤은 산업이 팬덤과 어떻게 공존할 것인지, 팬덤의 피드백을 활용해 산업이 어떤 전략을 취해야 할지에 대한 아이디어를 제공하고 있다.

> 갤러리에서 누가 떡볶이 모델로 JBJ를 쓸 건데, 멤버들 특징이랑 여러 가지 콘셉트 잡을 만한 자료를 달라고 하더라고요. 익명 게시판이라서 우리가 너를 어떻게 믿고 그런 노동을 하냐고 무시했는데, 나중에 자기가 직원이니까 한 번만 믿어 보라고. 그래서 우리가 만들어 놓은 홍보 책자 같은 자료 다 주고, 콘셉트 이야기하고……. 그런데 그게 진짜였던 거죠. 바로 떡볶이 모델이 됐어요. (D)

팬들의 참여가 산업의 생존 모델이 되면서 산업이 팬덤의 정서와 행위, 공동체 조직 방식 등을 적극적으로 받아들이는 것이다.[59] 산업과의 공존을 추구하는 것을 공모적 소비자 행동주의라고 한다면, 3세대 팬덤은 소비자 행동주의를 적극적으로 실현하고 있다. 물론 그 과정에서 팬들은 소속사뿐만 아니라 스타와 방송사에도 적극적으로 자신의 의견을 피력하고, 점점 그것을 당연한 권리로 생각한다. 이는 국민 프로듀서라는 위치 인식에서 비롯된 주체성의 결과다.

우리가 우리 가수를 지키고 관리한다는 마인드인 것 같아요. 우리의 요구를 들어줄 거라고 기대하는 데서 그치는 게 아니라, 요구를 신속 정확하게 들어주면 유능, 그렇지 못하면 무능하다고 판단하죠. 팬덤의 요구를 들어주는 것이 기대의 차원을 넘어선 당연한 책무라고 생각하는 것 같아요. 이유는, 일단 첫째로 내가 이 가수를 만들었다는 국민 프로듀서로서의 마음이 팬덤의 시작이기 때문이에요. 내가 시간과 돈과 노력을 들여서 내가 픽한 단 한 명을 온 힘을 쏟아 '데뷔시켰다'고 강하게 믿고 있으니까. 내가 데뷔시켰으니 나의 기대치를 충족해 주길 바라고, 내가 픽한 소중한 가수니까 소속사에서 일 처리 좀 제대로 했으면 좋겠고, 내가 데뷔시켰으니 당연히 나의 요구를 수용할 여지를 보여야 하고, 그런 마인드 같아요. 둘째로, 설령 데뷔 과정에 관여하지 않았더라도 '내가 돈 써서 앨범 사고, 시간 써가며 스밍하고, 댓글 관리해서 이미지 관리하고, 돈 모아서 선물 주고, 이미지 좋아지라고 대신 기부까지 하는데 내 말 잘 들어줘!' 라는 생각인 거죠. (P)

새로운 팬덤은 팬의 요구를 수용하는 것이 소속사의 역량이라고 생각하고 있었다. 자신들이 좋아하는 스타가 속한 곳이 중소 기획사이고, 가수를 매니지먼트하는 법을 잘 모른다고 생각되면 팬들은 소속사에게 댓글 관리 방법부터 팬덤 문화까지, 다양한 요소를 알려 준다. 협력과 긴장을 넘어서 하나씩 가르치고 원하는 것을 얻어 가며 공모하는 문화다. 이런 문화는 소속사가 팬들의 의견을 더 수용할 가능성이 있는 중소 기획사일수록 더욱 강해진다.

이러려고 데뷔시킨 줄 알아?

워너원의 경우에는 팬들의 소속사에 대한 감시와 불만이 많은 편이었다. 새 앨범이 발매되기 전 관리 부주의로 일어난 음원 유출 사건이나 소속사 직원의 행동으로 인한 마찰 등 여러 문제가 제기되었고, 팬들은 소비자 권리로서 그에 대한 피드백을 요구해 왔다. 이러한 요구는 2세대 팬덤에서도 일어난 일이지만, 2세대 팬덤이 사실상 기획사와 어느 정도 협력하며 갈등을 봉합해 왔다면[60], 3세대 팬덤은 기획사뿐 아니라 방송국까지 적대적으로 대하면서 스타를 권력으로부터 보호하려고 한다. 그리고 이럴 때 팬들의 행동 근거가 되는 문장은 '우리가 이러려고 데뷔시킨 줄 알아?'이다.

> '탈○○(소속사)'[61]같은 말이 나오는 거 자체가 대단한 거죠. 예전에는 기획사를 나오는 걸 상상하기 힘들었으니까. 그런데 지금은 우리가 이렇게 애를 키웠는데, 그렇게 방송에서 수납 당하고, 그러려고 데뷔시킨 게 아니잖아요. (I)

불만이 쌓이면 팬들은 소속사에 적대적인 자세를 취하게 된다. 그리고 소비자 행동주의가 가장 빠르게 직접적으로 나타나는 공간이 트위터다. 소속사 혹은 스타의 트위터 계정에 팬들이 직접 의견을 답글로 달면, 소속사나 스타가 이를 확인할 가능성이 비교적 높다. 그래서 소속사가 트위터에 일반적인 공지를 올리면 그에 대한 답글로 현재 문제가 되는 상황에 대한 피드백 요구가 이어진다. 그 저변에는 팬들이 SNS에서 자주 사용하는 표현처럼 '우리가 이러려고 데뷔시킨 줄 알아?'라는 인식이 있다.

팬들은 소속사에 대한 불만의 표시로 공유 금지 게시물을 공유해 타격을 주기도 한다. 워너원 공식 팬 카페 내부에 멤버들이 올린 글과 사진 등의 자료는 다소 까다로운 절차의 '등업'을 완료한 회원이나 일정 금액을 내고 팬클럽 신청을 한 인증된 회원만이 볼 수 있는 게시물이다. 이는 팬 카페 외부로의 공유나 이동이 금지된 소속사의 공식 저작물이다. 하지만 소속사에 불만이 쌓인 팬들은 트위터에 임시 계정을 생성하고 이 게시물들을 공유한다. 일종의 문화 전파 방해culture jamming 행위다. 문화 전파 방해는 풀뿌리 조직들이 커뮤니케이션 과정에 잡음을 넣음으로써 기업들이 주도하는 미디어의 흐름에 도전하거나 방해하는 시도를 가리킨다.[62] 그뿐만 아니라 '고독한 방'으로 불리는 카카오톡 오픈 채팅에서도 불특정 다수에게 워너원 공식 팬 카페 내 공유 금지된 게시물들이 유출된다. 시장 경제에서 미디어 생산자들은 텍스트를 판매하지만, 팬은 텍스트 공유를 통해 이러한 경제를 자주 우회한다는 젠킨스의 분석과도 일치하는 현상이다.[63]

2세대 팬덤이 소비자로서의 권리를 확대했다면, 3세대는 참여 문화를 만들어 간다. 그리고 이러한 권리의 근간은 팬덤이 스타를 직접 데뷔시키고 기획했다는 데에 있다. 팬들은 점점 더 많은 것을 요구하고, 방송과 스타는 이를 적극적으로 수용한다. 이제 기획사와 방송사는 미디어 업계에서 소비자의 눈치를 볼 수밖에 없게 되었다. 워너원이 케이블 프로그램을 통해서 데뷔한 신인 그룹임에도 지상파 3사 프로그램에 모두 진출한 데에서 팬덤의 강력한 힘을 실감할 수 있다.[64] 물론 이러한 결과가 단기간에 이루어지는 것은 아니다. 간혹 소속사가 '쌍방향 수용자'에 대해 두려움을 느끼고 팬덤의 개입을 억제하는 경우도 있다.

팬들은 자신의 열정을 공표하고 좋아하는 텍스트를 공유하면서도 산업의 전략에 단순히 자금원으로 이용당하는 것을 경계한다. 소비자로서의 권리를 누리고, 스스로 의미를 만들어 내는 것을 중시하기 때문이다. 경제적 소비는 경험을 얻기 위한 수단일 뿐, 팬들은 구매 자체를 위해, 구매에 대한 열정을 증명하기 위해 구매하지 않는다.[65]

예를 들어 JBJ 팬들은 프로젝트 그룹의 갑작스러운 해체 통보에 저항하는 시위에서 기획사가 프로젝트 그룹의 계약 연장 가능성을 계속 암시함으로써 팬들로 하여금 실적(음원 성적, 음반 판매량, 음악 방송 1위 등)을 낼 것을 압박해 소비 활동을 조장했다고 문제를 제기했다. 팬들은 매니지먼트사가 만족할 만한 성과를 내기 위해 더 많은 소비를 실제로 해냈고(팬들의 표현으로 '오버 덕질을 수행했다'), 결과적으로 충분히 만족할 만한 성과가 나왔다. 음악 방송 1위, 앨범 초동 판매량, 음원 순위 모두 신인 아이돌 그룹이 낼 수 있는 평균적인 성적을 훨씬 웃돌았다. 그런데도 계약 연장은 불발되었고, 해체 통보 또한 급작스럽게 이뤄졌다. 팬들은 이에 대한 문제 제기를 팬덤에 대한 소비 압박의 차원에서 더 나아가 사회 문제에 결부시켰다. 수많은 회사가 계약직 직원에게 실적이 나올 경우 계약을 연장하겠다는 압박을 주어 성과를 종용하고, 충분히 만족할 만한 성과가 나왔음에도 계약을 연장하지 않음을 지적하면서 이 사건이 JBJ와 매니지먼트사만의 문제가 아니라 계약직과 청년 취업에 연결된 사회 문제임을 강조한 것이다.

JBJ의 팬덤은 소속사의 일방적인 결정을 수용하지 않고, 적극적으로 의미를 해독하고 자신의 권리를 주장하며 소비자 행동주의를 보였다. 이러한 팬들은 미디어 학자 맷 힐스 Matt Hills의 분석처럼 자신을 식별력 없는 나쁜 소비자들과 구별한다.[66] 하지만 이 소비자 운동은 결국 기획사에 큰 영향을 끼치지 못했으며, JBJ의 활동 또한 연장되지 않았다. 여전히 팬덤의 힘으로는 거대한 소속사를 움직일 수 없는 측면이 있다.

위계질서가 사라진 대안 공동체

개별 수용자가 파편화되었다고 해서 서로 교류하지 않는 것은 아니다. 이들은 사안에 따라서 자유롭게 붙었다 떨어지는 느슨한 연대를 실현한다. 워너원 멤버에서 아쉽게 탈락한 여섯 명의 연습생으로 구성된 그룹 JBJ의 팬들이 이러한 연대를 잘 보여 준다. 이들 팬덤은 자신이 좋아하는 스타의 발전을 위해서라면 다른 팀이나 다른 멤버의 팬덤과 기꺼이 연합하고 집단 지성을 구현했다. 그리고 목적을 이루고 난 후에는 다시 흩어진다.

원래 처음에 (디시인사이드) '남자 연습생 갤러리'에서 떨어진 애들끼리 즐겁게 놀았어요. 떨어진 애들 팬들끼리 서로 기사 나면 댓글 달아 주러 가고. 품앗이하듯이. 왜냐면 서로의 화력이 낮은 걸 아니까요. 태현이 팬이 프듀 갤(프로듀스 101 갤러리)에서 조합을 만들면서 '이렇게 놀자'고 하면서 더 시작되긴 했는데, 꼭 JBJ 조합이 아니더라도 떨어진 멤버들끼리 여러 조합을 만들어서 놀았어요. 우리가 제2의 I.O.I.를 꿈꾸자면서. 얘네 조합이 처음 만들어졌을 때 어떤 팬이 '그래서 애들끼리 친해?' 물어봤는데, '몰라. 팬들끼리 친해.' 이렇게 답을 했었어요. 애들끼리 친한지는 모르겠지만 팬들끼리 친한게 중요한 거죠. (웃음) (D)

이처럼 JBJ는 사실 '팬들끼리 친해서' 만들어진 조합이었다. 이들은 집단 지성이 그러하듯 주어진 의미 중에서 취사선택하여 서로 다른 다양한 해석을 비교하고 토론한 후, 가장 만족스러운 조합을 만들어 냈다.[67]

우진이의 경우에는 같은 소속사인 이대휘 팬덤과 연합해서 함

께 악플러 고소 요구 및 증거 자료 제출을 한 적이 있어요. (P)

이와 같은 연대는 P의 경우처럼 소속사가 악플 고소를 준비하는 과정에서, 팬덤 간 연합으로 일어나기도 한다. 한 팬은 이를 '공동 구매 문화'(C)라고 표현하기도 했다. 원하는 물건을 구매하기 위해 소비자를 모으듯이, 필요한 것을 얻기 위해 모였다 흩어지는 방식을 사용한다는 것이다.

파편화된 팬덤의 느슨한 연대가 가능하게 된 문화적 토대는 평등함이었다. 아이돌 팬덤 활동을 수행하는 공간으로 주로 언급되는 트위터와 디시인사이드 갤러리로의 팬 커뮤니티 이동 및 확장[68]은 팬들의 권력 관계를 상당 부분 해체했다. 이들 커뮤니티의 특성은 팬덤 활동의 근간이 되는 정보와 자료가 경계 없이 모두에게 공유된다는 점이다. 여기에서 팬덤 내 위계질서가 부분적으로 해체될 가능성이 생긴다. 디시인사이드 커뮤니티를 지속하는 내부 규칙은 셀털 방지와 친목 금지, 고정 닉과 유동 닉의 차별 금지 등이다. 셀털 방지는 '셀프 털이 방지'의 줄임말로 자신의 정체성을 표현하는 어떠한 단어나 사진, 이야기도 커뮤니티 내에서는 금지된다는 규칙이다. 친목을 자제하고, 고정적인 닉네임으로 활동하는 사람과 닉네임이 없는 방문자를 차별하면 안 된다는 규칙은 커뮤니티를 오랜 기간 활성화시키는 힘이다. 누가 언제 방문해도 위화감이나 소외감을 느끼지 않게 하기 때문이다. 따라서 커뮤니티 내에서 특정 인물이나 그룹으로 권력이 집중되지 않는다. 닉네임은 불리지 않기 때문에 사회적 자본으로서 가치를 갖지 못한다.[69] 이러한 특징은 프로젝트 그룹의 팬덤이 최대한 많은 팬을 유입시키도록 영업하는 데에서 출발한 것과 일맥상통한다. 최대한 많은 개별 시청자들을 팬덤 내부로 끌어들이기 위해 일명 '영업'을 해야 했던 국민 프로듀서들은 자연스럽게 권력을 분산시키는 규칙에 순응했다.

워너원이 데뷔하는 과정에서 크고 작은 팬 수다를 생성하고, 연습생을 홍보하는 장이 된 디시인사이드 내 〈프로듀스 101〉 갤러리와 데뷔 이후 담론을 형성하고 실천하는 역할을 한 워너원 갤러리, 그리고 데뷔 조에 속한 워너원 멤버 및 개인 연습생들의 '마이너 갤러리' 모두 이처럼 수평적인 환경을 만들어 왔다. 갤러리는 최대한 많은 개별 시청자를 팬으로 유입시키는 데에 적합하기도 했다. 갤러리는 팬덤이 향유하는 공간이지만, 누구든 접속할 수 있고 회원 가입이 필요 없으며, 글을 쓰고 관찰하는 데 용이하다는 점에서 일반 대중에게도 열려 있다. 팬 활동을 하지 않는 사람들에게도 팬덤 내부의 모습이 잘 나타나는 공간이기 때문에 대중의 투표에도 영향을 미칠 수 있다.

'고독한 방'이라는 이름의 카카오톡 오픈 채팅방 역시

이러한 특성에 한몫했다. 대화 금지를 원칙으로 하는 고독한 방에서는 오롯이 스타의 사진 혹은 동영상이나 음원 파일만이 공유된다. 팬들은 언제든지 자신이 원하는 정보나 자료가 있으면 자유롭게 채팅방을 오가며 요청할 수 있다. 팬덤 내 정보와 자료 공유가 대가 없이 자유롭게 이루어지다 보니 팬덤 내 위계는 자연스럽게 약해진다.

특히 누군가가 위계 속으로 들어가고 싶어 하지 않을 때, 이러한 커뮤니티는 확실히 개별 팬들에게 자유를 준다. 물론 이 과정에서 장의 구성원이 되기 위한 아비투스habitus는 학습되어야 한다. 장의 구성원이 되기 위해서는 그 장이 공유한 원칙을 익혀야 하는 것이다.[70] 예를 들어 팬덤은 고독한 방에서는 대화를 나눌 수 없고, 이미지로만 소통해야 한다는 규칙을 받아들여야 한다. 갤러리 내에서는 은어나 '검색 방지', '셀털 방지'에 대한 규칙을 체화해야 한다. 이는 위계를 없애는 데 필요한 문화적 자본 축적cultural capital accumulation의 과정이지만, 이 과정에서 어떤 팬은 이 규칙을 따르는 데 어려움을 느끼기도 한다. 문화학자들이 상징적 폭력이라고 설명하는 현상이다.

처음에 그게 제일 적응 안 됐어요. '셀털 방지'라고 (사진 같은 거 올릴 때) 방 벽지, 바닥재까지 가리더라고요. 저는 예전 팬덤을 경험하지 않아서 잘 모르겠지만, 팬덤 내에도 권력 구조가 있었고, 그로 인해 문제가 있어서 셀털을 강하게 제재하는 분위기더라고요. 팬클럽 회장, 파 이런 단어는 오히려 지금 팬덤에는 생소한 개념이에요. 얼마 전 워너원의 각 갤러리 대표들이 친목질과 권력질을 했다고 강하게 규탄받은 적도 있고 그 일로 박우진 갤의 부갤매(부 갤러리 매니저)를 다시 구하고 있어요. 그리고 예전 같으면 소위 말하는 팬클럽 회장이나 대표 격인 갤러리 매니저나 카페 매니저 같은 걸 다들 하고 싶어 할 것 같은데, 요즘은 기피하는 분위기이고, 권력을 행사한다기보다는 희생하고 노동한다는 개념이 강하더라고요. 그리고 아이돌을 소비하고 응원하는 방식도 상당히 체계화되어 있고, 강한 규칙이 존재해요. 예전 방식대로 팬질을 하면 '아줌마 티를 내지 말라'며 강한 '고나리'를 하고, 이미 갖춰 놓은 팬덤의 룰을 따를 것을 강하게 요구하더라고요. 갤(갤러리)의 닥눈삼이 가장 대표적일 거예요. 그냥 입 다물고 이미 갖춰 놓은 문화에 따르고, 배우고, 익히라는 거죠. 그것에 거부감이 들어 덕질에 입문하지 못한 사람들도 많지 않을까 싶었습니다. (P)

예전에는 소속감을 중시했어요. 그래서 파에 들어간 애들도 있고, 사생 짓 하는 애들도 있고. (그런 친구 이야기를 들어 보면) 거기 가는 이유는 그 앞에서 만나는 언니들이 좋아서였던 거 같아요. 요즘은 인터넷이 워낙 발달해서, 전화로 연락해서 만나는 파 같은 조직보다는 점 조직처럼 더 크게, 넓게 이야기 하니까 익명성이 보장되죠. 소수로 만나기보다는, 넓게 서로를 모르면서 만나는. 내가 어떤 사람인지 덜 중요해지고, 훨씬 자유로워졌어요. 파 소속이면 내 역할이 있고, 오빠들이 싫어져도 탈덕도 못 하는데, 이제는 탈덕과 입덕이 자유로운 거죠. (J)

아는 사람이 총대 하는 걸 본 적이 있는데, 진짜 딱 사안만 해결하고 흩어지더라고요. 사안이 중요한 거지, 우리가 누구인지는 중요한 게 아니에요. 그래서 그 팀 트위터에도 제일 크게 써놓은 게 '우리는 그 어느 곳도 대표하지 않는다'예요. 진짜 인상 깊었어요. (Q)

그룹 팬덤 문화가 강했던 과거에는 팬덤 내 계층 구별이 확실했다. 그러나 개인을 좋아하는 것, 타 그룹을 동시에 좋아하는 것에 대한 제약으로부터 자유로워진 파편화된 개인은 팬덤 내 수행에서 더욱 자유로운 행동 규약을 갖게 된다. 또한 과거 팬덤은 홈 마스터, 팬클럽 회장과 같은 생산자 그룹이 있고, 이를 소비만 하는 소비자 그룹이 있는 계층 구조였다.[71] 하지만 새로운 팬덤 문화에서 이런 지형은 비교적 수평적으로 변했다.

새로운 커뮤니티의 등장은 큰 역할을 했다. 이들은 대표

자나 권력자 중심의 문화 대신 '총대 문화'를 구축했다. 누군가 나서서 공동의 일에 총대를 메고 책임을 지는 방식이다. 총대 문화에서는 사안마다 책임자와 일할 스태프를 정하고 그 이벤트가 끝나면 흩어진다. 결과적으로 아주 느슨하고 자유로운 공동체가 만들어졌다. 이 새로운 팬덤은 팬덤 내 위계질서에서 상위에 위치했던 홈 마스터도 더 이상 권력자로 보지 않고 '귀찮고 어려운 일을 대신해 주는 고마운 사람'으로 바라보기 시작한다. 이들은 홈마의 권력이 사라진 가장 큰 이유로 트위터 활성화와 카메라의 대중화를 꼽는다.

> 홈마가 딱히 권력자라는 생각은 안 들어요. 그냥 어차피 트위터 들어가면 널린 게 사진인데. 확실히 과거에는 홈마가 개인 홈페이지를 운영하니까 거기에 가입하고 인증받고 사진 받는 게 다 홈마 마음대로니까 권력적이었죠. 그런데 지금은 그냥 트위터에 사진 올리고 끝이니까, 권력이라고 보지는 않아요. 저는 그냥 안 보면 그만인데. 그래서 '시녀 짓 하지 말라'는 말이 공공연해진 거 같아요. (I)

> 예전에는 카메라를 가졌다는 것 자체가 권력이었다면, 요즘에는 휴대폰으로도 웬만한 DSLR보다 잘 나오니까요. 저도 몇 번 사진 찍어서 올리고 그랬는데, 너도나도 찍어서 올릴 수 있

으니까……. (G)

'시녀 짓'을 경계하는 목소리도 점점 커진다. 시녀 짓은 홈마나 '네임드'로 불리는 유명 팬에게 과도하게 굽실거리는 팬들의 행위를 말한다. 콘서트 티켓을 홈마에게 아무 조건 없이 양도한다거나, 스타의 굿즈를 사서 선물하는 행위 등이다. 워너원 팬덤에서는 콘서트 티켓 예매를 앞두고 이에 대한 갑론을박이 벌어지기도 했다. 홈마의 사진을 좋아하는 마음을 이용해서 홈마가 일반 팬들에게 쉽게 티켓을 얻는 행위가 옳은지에 대한 토론이다. 이 토론에서는 콘서트 표를 양도하는 문제는 개인의 선택이지만, 단지 '홈마'라는 이유로 양도를 해서는 안 된다는 주장이 제기됐다. 이는 신자유주의 시대의 과도한 경쟁에 노출된 사람들이 공정성에 민감하게 반응하는 현상과도 맞닿아 있다. 홈마라는 이유만으로 아무런 노력 없이 좋은 자리를 구하는 것은 공정하지 못한 일이라는 주장이다.

팬덤 3.0으로의 변화 과정

	구성 주체	스타와의 관계	소비 방식	집단적 실천 방식		산업과의 관계	문화 생산 형식	미인적 사회 공동체
1세대	10대 청소년	무조건적 추종자	조건 없는 선망과 동일시	그룹 내 관계만을 선호	배타적 충성과 애정 / 경쟁적 스타와 애정	충성과 갈등	능동적 해독	또래 집단 및 지역 중심
2세대	20, 30대로 확대 해외 팬덤 유입	소비자로서 관여 환경	스타이미지 관리를 위해 스스로의 행동 제약	비슷한 타 그룹과의 관계 허용	중립적 애정 / 그룹의 시장 내 생존을 위한 노력	협력과 병합	소비·생산·유통	팬중심의 친밀한 연대
3세대	40대까지 확대	기획자로서 관여 환경 (관리하고 양육하는 국민 프로듀서)	주체적으로 스타를 행동 판단	유연한 유사 구성 선호	과잉화된 애정 / 멤버의 시장 내 생존을 위한 노력 (개인 팬덤화)	감시와 공모	소비·생산·유통	팬중심의 느슨한 연대

114

새로운 스타 양육 시스템

팬들이 집단 지성을 통해 소비자 행동주의를 실현하게 된 데에는 뉴미디어 기술 발달의 영향이 크다. 기술을 바탕으로 달라진 산업의 전략에 대응하고 상호 작용하면서 3세대 아이돌 팬덤이 탄생했다.

케이 팝이라는 장르를 만들고 한국 아이돌 그룹을 키운 대표적인 기업은 SM, YG, JYP 엔터테인먼트다. 이들 3대 대형 기획사는 서로 경쟁하면서 케이 팝의 발전을 이끌었고, 2010년대에 접어들어서는 걸 그룹과 보이 그룹 모두가 쏟아져 나오는 '아이돌 전국 시대'를 이끌었다.[72] 이들이 길러 낸 아이돌은 가수라는 정체성보다 엔터테이너로서의 경쟁력이 중요한 2세대 아이돌이었다.[73] 아이돌 스타는 점점 더 음악뿐 아니라 예능, 드라마, 영화, 뮤지컬 등에서도 두각을 나타내는 만능 엔터테이너로서 살아남아야 했고, 글로벌화와 함께 해외 시장까지 커버하는 다국적 만능 엔터테이너가 되어야 했다.

그 시기에 큰 인기를 끌었던 그룹이 2012년에 데뷔한 SM 엔터테인먼트의 아이돌 엑소였다. 많은 멤버 수, 한국인과 중국인으로 구성된 다국적 멤버들과 초능력자라는 판타지적 캐릭터 설정은 다국적 만능 엔터테이너로서의 면모를 보여 줬다. '아이돌 왕국'으로 불리는 SM 엔터테인먼트는 큰 규모의 팬덤을 가진 아이돌 그룹을 성공적으로 만들어 온, 시스템을 갖춘 기업이다. 이러한 시스템을 구축하는 데는 거대한 자본과 시간이 필요하다. 이렇게 아이돌 시장은 규모가 커지면서 동시에 거대 자본을 가진 대형 기획사의 영향력이 점점 강화되는 방향으로 나아가고 있었다.[74]

시장이 커지고 아이돌 그룹이 매해 쏟아지면서 그룹의 이름을 알리는 것조차 대단히 어려운 일이 되었다. 2015년에 데뷔한 아이돌 그룹은 60팀으로, 총 324명이다. 이중 보이 그룹은 23팀으로 137명, 걸 그룹은 37팀으로 187명이다.[75] 이 추세는 계속 이어져 2018년 데뷔한 아이돌 그룹은 53팀으로 총 311명이었다. 보이 그룹은 26팀으로 154명, 걸 그룹은 26팀으로 157명이다. 기존 아이돌 그룹이 여전히 활동하는 상태에서 매해 50~60개의 팀이 데뷔했다는 사실은 얼마나 많은 아이돌 그룹이 공급되고 있는지 보여 준다. 그리고 당연하게도 아이돌 그룹의 데뷔가 곧바로 대중적 인지도를 보장해 주지 못하는 상황이 되었다.

아이돌 시장의 세력은 셋으로 갈렸다. SM 엔터테인먼트와 같은 대형 기획사, 방탄소년단의 성공과 함께 성장한 하이브 엔터테인먼트와 같은 신흥 강자 기획사, 그리고 CJ ENM이나 카카오M(구 로엔 엔터테인먼트)과 같은 대중문화 관련 거대 기업이다. 방송 산업을 장악하고 있는 CJ의 등장은 주목할 만하다. 미디어 기업 CJ ENM은 팬 수다가 보장된 쇼를 통해 아티스트를 지속해서 노출하고, 이를 이용해 음원과 공연을 흥행시킨다. 리얼리티 쇼를 통해 데뷔한 스타와 매니지먼트 계약을 맺었고, 젤리피쉬 엔터테인먼트와 하이라이트 레코즈 등의 기획사를 인수했다.[76]

이에 따라 트레이닝-기획-데뷔 단계를 거치는 기존 방식 대신 오디션 프로그램 출연이라는 새로운 시스템이 엔터테인먼트 산업에 등장했다. 기획사가 서바이벌 프로그램을 활용하는 방식이다. 생존 경쟁을 통해 연습생들이 가진 만능 엔터테이너로서의 자질과 상품성을 미리 확인하고, 리얼리티 프로그램을 통해 그룹의 차별화된 세계관과 콘셉트 등 상품성을 미리 확보하는 전략이다. 특히 중소 기획사일수록 직접 할 수 있는 일은 점점 줄어든다. 오디션 프로그램을 제작하는 방송사와 프로젝트 그룹을 매니지먼트할 대형 기획사의 자본과 기획력을 믿어야 했다. 아이돌 그룹이 음악 산업의 주류로 자리 잡은 지 20년 만에 일어난 변화다.

거대 자본이나 시스템을 바탕으로 한 기획력이 부족한 중소 기획사들은 각자의 생존 전략을 모색할 수밖에 없었다. 자금난을 겪는 상황에서의 생존 전략으로 크라우드 펀딩을 통해 팬들에게 뮤직비디오 제작이나 데뷔를 위한 모금을 받는 중소 기획사가 등장하기도 했다.[77] 트랜스미디어 스토리텔링 전략을 구사하는 방송사와 손을 잡은 것도 그 일환이었다.

중소 기획사는 방송사나 거대 자본을 가진 기획사에 역할과 책임을 일정 부분 넘기고 있다. 실제로 JTBC〈믹스나인〉에 출연한 한 중소 기획사 사장은 '자금이 없어 데뷔를 시키지 못한다'며 자신 있게 기획한 아이돌임에도 자본의 힘을 빌리기 위해 어쩔 수 없이 오디션 프로그램에 출연시켰음을 언급했다. 살아남기 위해 거대 자본을 가진 방송사나 기획사와 협업할 수밖에 없는 상황인 것이다.

기획사와 방송사가 손을 잡으면서 프로젝트 그룹이 등장했다. 이는 SM 엔터테인먼트가 시도했던 모델이기도 하다. NCT는 새로운 멤버 영입이 자유롭고 제한이 없는 새로운 개념의 그룹으로, 전 세계 도시를 베이스로 유닛 활동을 한다. 고정적 멤버 구성에 얽매이지 않고 음악과 활동 지역 등에서 다양한 조합이 가능한 구조는 산업이 리스크를 줄이는 방식이기도 하다. 아이돌 산업에서 종종 언급되는 '졸업' 제도는 멤버의 탈퇴를 유연하게 하고 새로운 멤버를 영입해 그룹이 오래 생존할 수 있게 한다.[78] 중요한 것은 멤버 영입이 자유롭고 멤버 수에 제한이 없는 개방성과 확장성이다. 이는 〈프로듀스 101〉을 통해 데뷔하게 되는 프로젝트 그룹이 갖는 정체성과도 연결된다.

〈프로듀스 101〉의 개방성과 확장성은 101명이라는 연습생 수가 뒷받침한다. 문제가 되는 한 명이 사라져도 100명의 연습생이 기다리고 있는 구조다. 결국 멤버 한 명 한 명의 정체성과 스타성이 중요했던 과거와 달리, 제작자가 아이돌 스타의 리스크를 떠안지 않아도 된다. 누구라도 워너원의 멤버가 될 수 있는 구조에서 기획사는 팬덤에게 기획과 마케팅을 맡긴다.

프로젝트 그룹을 매니지먼트하는 방식에도 주목할 필요가 있다. I.O.I와 워너원을 전담하던 기획사는 YMC로, 기성 엔터테인먼트 기업이었다. 하지만 2018년 6월을 기점으로 워너원의 매니지먼트는 CJ ENM이 투자한 신생 기획사인 스윙 엔터테인먼트가 맡게 되었다. 〈프로듀스 101〉 시즌3를 통해 데뷔한 '아이즈원'의 소속사는 오프더레코드 엔터테인먼트로 역시 CJ ENM 산하 레이블이다. 프로그램을 제작하는 방송사 산하의 기획사가 매니지먼트까지 맡게 되면서 브랜드가 된 아이돌이 방송사에 수익을 가져다주는 구조가 공고해진 셈이다.

'사전 주문 제작' 아이돌

많은 중소 기획사는 서바이벌 리얼리티 프로그램을 통해 아이돌 연습생들을 데뷔시키고 있다. 아이돌 그룹이 성공적으로 데뷔하기 위해서는 강력한 팬덤이 필요한데, 연습생들의 경쟁을 부추겨 매 순간 순위를 매기는 과정에서 강력한 팬덤이 형성되기 때문이다.

기획사들은 소속 아이돌 그룹을 데뷔시키거나 관리하

는 데에 팬덤을 적극 활용한다. 팬클럽을 상업적으로 조직해 관리하는 것으로부터 직접적인 이익을 얻기도 하고, 팬덤의 도움을 받아 아이돌 그룹을 마케팅하기도 한다. 이제 기획사가 팬덤의 도움을 받는 행위, 즉 팬덤의 참여 문화는 아이돌 데뷔 과정의 필수 요건이 되었다. 기획사는 단순히 팬클럽을 모집하는 수준을 넘어서 아이돌 그룹의 탄생과 함께 팬덤을 만들어 나간다.

팬덤 역시 새로운 방식으로 콘텐츠를 생산하고 유통하며 전유할 수 있게 되었다. 기술의 발달은 참여의 필수적인 전제였다. 연습생의 순위를 실시간으로 확인하며 다양한 조합의 유닛을 미리 구성해 본 수용자들은 아이돌 그룹을 직접 프로듀싱하는 과정에 참여하고 있다는 정서를 경험했다. 프로듀싱에 직접 참여했다는 강렬한 경험은 팬들에게 자신이 아이돌 그룹 제작에 참여한 국민 프로듀서라는 강한 자기 인식을 심어 준다. 이들은 자신이 응원하는 연습생을 위해 더욱 열심히 팬 실천에 가담하고, 강한 자부심과 사명감을 느낀다.

팬덤의 힘을 활용하기 위해 엔터테인먼트 업계는 점점 더 팬 현상에 관심을 갖는다. 이러한 상황 속에서 대중의 참여를 통해 솔루션을 얻는 크라우드 소싱crowd sourcing이나 팬을 활용한 마케팅인 팬 경영fanagement같은 현상도 주목받고 있다. 젠킨스의 분석처럼, 이제 소비자 주권을 무시한 기업은 살아남을 수 없다. 팬과 기업이 협력할 수밖에 없는 시대가 온 것이다.

아이돌 산업의 달라진 구조에서는 방송사, 기획사, 팬덤이 힘을 나눠 갖는다. 〈프로듀스 101〉의 핵심 서사였던 미션 평가는 대다수가 이미 엔터테인먼트 산업에서 큰 성공을 거두었던 대형 아이돌의 곡을 따라 하는 수준이었다. 방송이 아이돌의 데뷔 멤버나 콘셉트를 기획한 것도 아니다. 그저 101명 연습생의 경쟁을 보여 주는 방식으로 쇼를 만들었다. 프로그램이 보여 주지 않는 부분까지 주목해 연습생의 개성을 찾아내고, 영업이라는 이름으로 잠재적 수용자에게 이들을 소개하고 홍보했던 것은 팬덤이었다. 소속사의 홍보 팀에서 할 법한 일까지 도맡아 하는 팬덤은 동영상 조회 수를 높이기 위해 스트리밍을 장려하고, 지하철 광고를 위해 돈을 모은다. 프로그램에 등장한 출연자의 독특한 캐릭터나 흥미로운 스토리도 팬덤의 자발적인 이야기 생산과 영업에 기대고 있다.

이렇게 복잡해진 상황에서 엔터테인먼트 산업은 자본은 방송에, 기획력은 대중에게 빌리는 전략을 취하고 있다. 소속사는 한 명의 플레이어만 데리고 있고 자본과 대중에게 나머지 역할을 넘기는 '사전 주문 제작'으로 안정성을 도모하고 있다.

투쟁하고 공모하다

팬덤의 열광적인 반응 역시 시장에 영향을 미쳤다. 팬덤이 만들어 낸 프로젝트 그룹의 이례적인 인기는 대중음악과 콘텐츠 업계의 판도를 바꾸어 놓았다. 워너원이 데뷔한 2017년 대중음악계의 가장 인상적인 사건으로 '중소 기획사 아이돌의 대세'가 꼽힐 정도로[79] 미디어 플랫폼은 대형 기획사 위주였던[80] 아이돌 산업의 구조를 바꾸어 놓았다. TV 서바이벌 프로그램을 통해 데뷔한 신인이 신인상을 받거나, SNS에서 화제가 되며 단기간에 인기를 얻은 모모랜드 같은 그룹이 나오면서 이러한 판도는 지속되고 있다.[81] 이는 회사의 규모와 아티스트의 성공이 비례하지 않는다는 인식을 높였다. 팬들의 취향을 고려한 오리지널 콘텐츠를 만들고 확산하기 위해 엔터테인먼트 산업은 MCNMulti Channel Network 등 뉴미디어 기업과 협업하기도 한다.[82]

　팬덤과 산업은 서로 영향을 주고받는다. 〈프로듀스 101〉 시즌2가 끝나자마자 엠넷은 아이돌 연습생을 학교라는 공간에서 육성하는 프로젝트 〈아이돌학교〉를 방영했고, KBS에서는 〈더 유닛〉이라는 아이돌 프로젝트 그룹 서바이벌 프로그램을 선보였다. JTBC에서는 YG 엔터테인먼트와 다른 엔터테인먼트사의 아이돌 연습생으로 구성된 프로젝트 그룹을 만드는 〈믹스나인〉을 방영했으며, 〈프로듀스 101〉의 시즌3인 〈프로듀스 48〉, 시즌 4 〈프로듀스 X 101〉도 계속해서 이어지고 있다. 마음에 드는 멤버에 직접 투표하고 데뷔시키는 방식에 팬덤이 열광하자 산업이 비슷한 형태의 프로그램을 줄지어 선보인 것이다.

서바이벌 프로그램을 통한 아이돌 제작은 기존 기획사가 하나의 그룹을 만들기 위해 투자해야 했던 비용과 시간을 줄여 준다. 과거에는 한 아이돌 그룹을 만들기 위해 5~6년 정도의 트레이닝 기간을 거쳐야 했고, 투자하는 비용도 어마어마했다. 이 구조는 아이돌 노예 계약과 같은 문제의 원인이었으며, 대형 기획사에 소속된 아이돌 그룹이 아니면 성공을 거두기 어려운 이유이기도 했다. 미디어 플랫폼을 이용한 아이돌 그룹의 데뷔는 이러한 구조를 바꾸어 놓았다. 워너원에서 데뷔 조에 들었던 라이관린의 경우 연습생 2개월 차일 때 프로그램에 출연했고, 바로 데뷔했다. 프로그램이 2개월 남짓 방송되었으므로 그의 총 연습 기간은 4개월인 셈이다. 과거에 비해 시간·경제적으로 매우 압축적인 성장과 데뷔다.

소속사가 담당했어야 할 트레이닝 과정을 프로그램에 위탁함으로써 비용이 줄어들고, 그룹과 팬덤이 함께 만들어지기 때문에 홍보 비용도 절약된다. 실제로 〈프로듀스 101〉 시즌2의 경우 방송을 통해 데뷔 조에 들었던 11명의 연습생 이외에도 35등까지의 연습생은 모두 데뷔했다. 이 밖의 순위 연습생들도 '레인즈'라는 프로젝트 그룹이나 '느와르'라는 아이돌 그룹으로 데뷔하기도 했다. '프듀 출신'이라는 타이

틀을 갖고 다른 그룹의 구성원이 된 연습생도 많다. 사실상 프로그램에 출연한 101명의 연습생 중에서 절반에 가까운 이들이 데뷔에 성공하거나 홍보 효과를 봤으니 기획사들은 프로그램 출연을 통해 큰 비용을 절약한 셈이다. 제32회 골든디스크 시상식 신인상 후보에 오른 10팀 중 9팀이 〈프로듀스 101〉 출신이라는 점만 봐도 그 힘을 알 수 있다. 이러한 이유로 기획사들은 프로젝트 그룹을 만드는 것에 적극적일 수밖에 없다. 하지만 팬덤의 힘이 확장되면서 일어나는 산업과 팬덤의 공모는 중소 기획사에서만 강력하다는 한계가 있다. JBJ의 해체 시위 과정에서도 확인할 수 있었듯이, 결국 거대 자본 없이는 활동을 유지할 수 없다는 한계는 여전하다.

달라진 산업 구조 속에서 기획사는 벽을 허물고 유닛 구성에 적극적으로 나서고 있다. 산업을 변화시키고 있는 프로젝트 그룹은 다양한 기획사에 소속된 멤버들이 대중의 입맛에 따라 조합된 형태이기 때문이다. JBJ와 같이 팬들이 염원하는 조합의 연습생들을 비교적 큰 대형 기획사에 위탁하여 기획하기도 하고, YDPP나 우주미키와 같이 서로 다른 기획사가 프로젝트 그룹을 구성하는 일도 생겼다. 과거에는 대형 기획사가 'SM town', 'JYP nation', 'YG family'와 같은 이름으로 소속 가수들의 가족 같은 이미지를 공고히 했다면, 지금은 기획사 간의 컬래버레이션이 활발하다. 대형 기획사인

YG 엔터테인먼트가 〈믹스나인〉 방송 콘텐츠를 통해 프로젝트 그룹 만들기에 직접 나섰다는 점도 주목할 만하다. SM 엔터테인먼트는 과거 강력한 라이벌이었던 DSP 엔터테인먼트와 함께 슈퍼주니어X카드 무대를 선보이고, 'SM station'이라는 디지털 플랫폼을 통해 다른 회사 소속 가수와 협업하기도 했다. 단순히 연말 시상식에서 무대를 함께 꾸미는 정도와는 확실히 구별되는 기획이다. 팬덤은 '내가 원하는 조합'이 실제로 데뷔하는 특별한 경험을 하게 된다. 그리고 원하는 조합을 말하면 실제로 이루어질 수 있다는 생각을 하게 된다.

유닛 현상에 있어서도 팬덤과 산업은 상호 작용하며 변화를 만들어 냈다. 그룹 간 경계를 깨고 유동적이고 유연한 소비 방식을 보인 팬들의 태도가 유닛 그룹을 데뷔시키기도 하고, 산업이 유닛을 활성화하면서 팬들도 더 유연해진다. 팬덤 문화 구성체의 내적 조건과 외적 조건은 끊임없이 상호 작용한다.

대중문화는 대중의 힘만으로 만들어진 문화도 아니고, 제작자가 일방적으로 생산하는 문화도 아니다. 대중문화 내의 영역을 확보하기 위해 투쟁하고 공모해 온 팬덤과 외부적인 사건들이 지금의 3세대 팬덤 문화를 만들었다. 팬덤과 산업은 끊임없이 투쟁하고 공모한다.

에필로그   새로운 소비자의 탄생

워너원이 활동을 종료한 후, 몇몇 팬들을 다시 만났다. B가 가장 먼저 꺼낸 말은 "우린 아직 1월 27일(워너원의 마지막 콘서트 날)에 살아요"였다. 다시 만난 팬들은 각자 다른 이야기를 꺼냈지만, 공통적으로 모두 워너원을 그리워하며 이 그룹의 가치가 계속 유지되었으면 좋겠다는 바람을 갖고 있었다. 얼핏 아이로니컬한 현상으로 보일 수 있다. 워너원 팬덤은 개별 멤버들의 팬덤 11개가 경쟁하고 협력하며 구성했던 팬덤이었기 때문이다. 그래서 워너원 해체 후에는 팬 정체성이 어떻게 바뀌었는지 물었다.

"요즘에도 커뮤니티에 '워너블(워너원 팬클럽)들 아직 여기 있죠?' 같은 글들이 가끔씩 올라와요." 다시 만난 한 팬의 이야기처럼 팬들은 여전히 워너블이라는 이름에 애정을 보이고 있다. 직접 투표하고 기획해서 워너원을 만들어 냈던 참여의 경험은 스타와의 깊은 연대감에서 비롯되는 애정을 유지시켜 주고 있었다. 일례로 2019년 5월, 팬들은 '워너원의 워너블'이라는 이름으로 한 기부 프로그램에 1000만 원을 웃도는 후원금을 기부했다. 그 결과 실제 방송에서 워너블이라는 이름이 불렸다. 여전히 팬덤이 건재하다는 것을 보여 주고 자신들의 이름을 지켜 내려는 팬들의 노력이다. 이러한 팬들의 행동은 스타를 둘러싼 세 권력과 관련이 있다.

3세대 팬덤 문화는 팬덤, 미디어, 소속사라는 세 권력이 서로 공모하고 의존하는 복잡한 관계 속에서 만들어진다. 프로젝트 그룹은 팬덤이 기획하고 홍보함으로써 성공적으로 활동할 수 있었다. 제한된 활동 기간이 끝나고 소속사와 방송사가 손을 떼면 활동이 종료되는 것처럼 보이지만 사실은 그렇지 않다. 소속사와 방송사가 손을 떼더라도, 권력의 한 축인 팬덤은 남아 있다. 결국 이 프로젝트 그룹의 끝은 팬덤이 사라지는 순간이 된다. 팬덤이 자신들의 이름을 유지하려 하는 이유다. 이러한 관점에서 프로젝트 그룹의 가장 큰 정체성은 그룹의 시작과 끝인 팬덤에 있다.

자신들의 이름을 지키려는 팬덤의 노력은 또 하나의 소비자 행동주의일 수 있다. 팬덤이 건재하면 프로젝트 그룹의 생명력이 이어진다는 점을 알고 움직이는 것이기 때문이다. 그래서 참여 모델의 양육형 팬덤은 현재 진행형이다. 3세대 팬덤이 앞으로 어떻게 변화해 갈지는 결국 이 팬덤의 활동에 달렸다.

물론 이러한 팬덤 3.0의 참여적인 특성을 결함 없는 시스템이라고 할 수는 없다. 미시적으로 봤을 때에는 적극적으로 보이는 참여 모델의 팬덤이 거시적으로는 자본주의에 포섭되어 있다는 한계를 지적하려는 것은 아니다. 3세대 팬들의 능동적인 참여가 결국 그러한 포섭에 대한 저항의 가능성이라는 점을 이야기하고 싶었다.

팬덤 3.0이 형성되는 과정은 새로운 현상만으로 이루어진 것은 아니다. 과거 팬덤 문화를 그대로 계승하고 유지해 온 부분도 있다. 또한 팬덤 3.0의 특징들이 모든 팬덤에게 적용되는 것은 아니다. 3세대 팬덤이 기존 팬덤을 완전히 대체했다기보다는, 영향력 있는 새로운 팬덤이 등장한 것이라고 볼 수 있다. 3세대 팬덤은 계속 산업과 소통하며 진화할 것이다.

주

1 _ 김주원, 〈스노우엠, 신규 팬덤 서포트 플랫폼 '스노우닥' 론칭〉, 《서울경제》, 2019. 5. 21.
snowMakers, 〈snowMakers KR〉, 2019. 1. 22.

2 _ snowMakers, 〈About Us〉.

3 _ 인터뷰 참여자 K(20대 후반, 3세대 팬덤 경험)가 들려준 실제 사례를 간략하게 정리한 것이다.

4 _ 국민이 직접 뽑는 프로젝트 그룹은 일본의 유명 아이돌 'AKB48' 시스템의 일부를 차용한 방식이다. AKB48은 일본의 유명 프로듀서 아키모토 야스시가 만든 시스템이다. '만나러 갈 수 있는 아이돌'을 콘셉트로 하여 전용 극장에서 상시 라이브 공연을 하는 아이돌 그룹을 만들었다. 이 시스템의 핵심은 팬들이 마음에 드는 후보에 직접 투표하고 이를 통해 그룹 멤버를 구성한다는 점이다. 이 방식을 통해 일본의 대표 여성 아이돌 그룹 'AKB48'이 탄생했다. 〈프로듀스 101〉은 AKB48 시스템에서 매년 총선거를 거쳐 1위를 한 멤버가 그룹의 중심인 '센터'를 차지하는 방식도 차용했다. 〈프로듀스 101〉 최종 투표에서 1위를 한 연습생은 데뷔하는 그룹의 '센터' 자리와 역할을 차지하게 된다. 이러한 방식은 팬들로 하여금 자신이 선택한 후보가 데뷔뿐만 아니라 그룹 내 높은 순위에 올라 센터를 차지해야 한다는 목표를 설정하게 만든다.
AKB48, 〈About AKB48〉.

5 _ 스포츠동아 엔터테인먼트부, 〈'도깨비' '프듀2' 콘텐츠 영향력 1위〉, 스포츠동아, 2018. 1. 9.

6 _ 강주일, 〈워너원 '쇼콘' 고척돔 데뷔 쇼케이스…암표 성행, 기자 사칭 입장 예고도〉, 스포츠경향, 2017. 8. 7.

7 _ 최규문, 〈팬 없이는 스타도 없다, 슈퍼스타K와 워너원의 성공 비결〉, 《한국평판신문》, 2018. 5. 28.

8 _ 홍승한, 〈2017 대세 신인 워너원, 서가대서도 날아오를까〉, 《스포츠서울》, 2018. 1. 25.

9 _ 한국평판신문, 〈보이 그룹 브랜드 2018년 5월 빅데이터 분석…1위 워너원, 2위 방탄

소년단, 3위 액소〉,《한국평판신문》, 2018. 5. 13.

한국평판신문, 〈보이 그룹 개인 브랜드 2018년 5월 빅데이터 분석…1위 워너원 강다니엘, 2위 워너원 박지훈, 3위 워너원 옹성우〉,《한국평판신문》, 2018. 5. 19.

10 _ 김보라, 〈방탄소년단 vs 워너원 vs 위너 vs 갓세븐, 올해의 빅아이돌은?〉,《OSEN》, 2018. 6. 1.

11 _ 이지석, 〈워너원 '광고계 블루칩 입증', 다음달 리복 · 지마켓 모델 '출격'〉,《스포츠서울》, 2018. 4. 26.

12 _ 강명석 · 김윤하 · 미묘, 〈2017년의 기억 vol.2〉,《W korea》, 2017. 12. 12.

13 _ 정지원, 〈"9개월간 35편"…워너원, 역대급 '예능 도장깨기'〉,《OSEN》, 2018. 5. 7

14 _ 강명석 · 김윤하 · 미묘, 〈2017년의 기억 vol.2〉,《W korea》, 2017. 12. 12.

15 _ Mnet Official, 〈PRODUCE48 [Teaser] 국민 프로듀서님의 선택은 언제나 옳았습니다 180615 EP.0〉, 2018. 6. 1.

16 _ Henry Jenkins,《Textual poachers: Television fans and participatory culture》, Routledge, 1992, p. 23.

17 _ 팬이라는 용어에는 명확한 정의가 없지만, 팬 현상의 모든 차원을 포함할 수 있는 상위 개념을 만들어 내려고 한 학자들은 있었다. 해링턴(Carine Harrington)과 비엘비(Denise Bielby)는 팬덤이 '수용 양식', '해석 실천의 공유', '문화적 활동의 예술 세계', '대안적인 사회 공동체'라는 네 가지 요소로 구성된 모델이라고 설명했다. 하지만 이 네 가지 요소들은 젠킨스의 다섯 가지 요소에 모두 포함되는 것으로 보고, 젠킨스의 구성법을 따랐다. 또한 피스크(John Fiske)가 이야기한 팬덤의 주요한 3가지 특성인 차별과 구별, 생산성, 참여는 팬덤의 변화 양상을 세밀하게 나누어 설명하기에는 부족한 부분이 있기에, 젠킨스의 구성법을 따랐다.
존 피스크, 〈팬덤의 문화 경제학〉,《문화, 일상, 대중》, 한나래, 2012.
Henry Jenkins,《Textual poachers: Television fans and participatory culture》, Routledge,

1992, pp. 277-283.

Carine Harrington and Denise Bielby, 《Soap Fans: Pursuing Pleasure and Making Meaning in Everyday Life》, Temple University Press, 1995.

18 _ 서태지와 아이들, H.O.T, 젝스키스 등 1세대 아이돌 이후에는 약 5년간 새로운 아이돌 그룹이 나타나지 않았던 '아이돌 단절기'가 있었다. 이 기간에는 의미 있는 변화가 있었다. 음악 시장이 시간적·공간적·영역적 압축을 겪으면서 엔터테인먼트 산업은 수익성의 위기를 맞았고, 이에 대한 대응으로 음원뿐만 아니라 화보와 같은 파급 상품을 생산하는 다양한 수익 모델을 개발하게 된다. 이러한 수익 모델은 팬덤의 수익성을 포착하면서 가능해졌다. 개별 팬덤의 구매력 향상은 산업이 팬덤을 의미 있는 존재로 받아들이게 했다. 기획사는 팬덤의 욕망을 잘 포착하고 이를 상품으로 만들어 냄으로써 팬덤을 지속적으로 관리해야 할 의미 있는 시장으로 받아들였고, 지속적인 모니터링을 통해 수익을 얻을 수 있는 경영 상품으로 인식하게 되었다.

정민우·이나영, 〈스타를 관리하는 팬덤, 팬덤을 관리하는 산업: '2세대' 아이돌 팬덤의 문화 실천의 특징 및 함의〉, 《미디어, 젠더 & 문화》, 12, 2009, 191-240쪽.

이동연, 〈아이돌 팝이란 무엇인가 - 징후적 독해〉, 《아이돌》, 이매진, 2011.

19 _ 해외 팬덤을 대거 수용하고, 독특한 세계관을 가지고 나온 엑소(EXO)부터를 3세대로 구분하는 방식 등이 있다.

이응철, 〈우리는 항상 무엇인가의 팬이다: 팬덤의 확산, 덕질의 일상화, 취향의 은폐〉, 《한국문화인류학》, 49(3), 2016, 103쪽.

20 _ 김호영·윤태진, 〈한국 대중문화의 아이돌 시스템 작동 방식〉, 《방송과 커뮤니케이션》, 13(4), 2012, 49쪽.

21 _ 김수아, 〈남성 아이돌 스타의 남성성 재현과 성인 여성 팬덤의 소비 방식 구성〉, 《미디어, 젠더 & 문화》, 19, 2011, 5-38쪽.

강연곤, 〈'걸 그룹 삼촌 팬'을 위한 변명: 자기민속지학 방법을 중심으로〉, 《대중음악》, 8, 2011, 9-45쪽.

김송희·양동옥, 〈중년 여성들의 오디션 출신 스타에 대한 팬덤 연구: 팬심의 구별짓기를 중심으로〉, 《미디어, 젠더 & 문화》, 25, 2013, 35-71쪽.

22 _ 정민우·이나영, 〈스타를 관리하는 팬덤, 팬덤을 관리하는 산업: '2세대' 아이돌 팬덤의 문화 실천의 특징 및 함의〉, 《미디어, 젠더 & 문화》, 12, 2009, 216쪽.

23 _ 김수아, 〈소셜 웹 시대 팬덤 문화의 변화〉, 《사이버커뮤니케이션학보》, 31(1), 2014, 82쪽.

24 _ 정민우·이나영, 〈스타를 관리하는 팬덤, 팬덤을 관리하는 산업: '2세대' 아이돌 팬덤의 문화 실천의 특징 및 함의〉, 《미디어, 젠더 & 문화》, 12, 2009.

25 _ 정민우·이나영, 〈스타를 관리하는 팬덤, 팬덤을 관리하는 산업: '2세대' 아이돌 팬덤의 문화 실천의 특징 및 함의〉, 《미디어, 젠더 & 문화》, 12, 2009.

26 _ 이동연, 〈팬덤의 기호와 문화정치〉, 《진보평론》, 8, 2001, 437-449쪽.
김현정·원용진, 〈팬덤 진화 그리고 그 정치성: 서태지 팬클럽 분석을 중심으로〉, 《한국언론학보》, 46(2), 2002, 253-278쪽.

27 _ 홍종윤, 《팬덤 문화》, 커뮤니케이션북스, 2014.

28 _ 정민우·이나영, 〈스타를 관리하는 팬덤, 팬덤을 관리하는 산업: '2세대' 아이돌 팬덤의 문화 실천의 특징 및 함의〉, 《미디어, 젠더 & 문화》, 12, 2009.

29 _ 김현정·원용진, 〈팬덤 진화 그리고 그 정치성: 서태지 팬클럽 분석을 중심으로〉, 《한국언론학보》, 46(2), 2002.

30 _ 3세대 팬덤이 담론을 형성하고 실천하는 장(field)을 분석하기 위해 워너원이 데뷔하는 과정에서 크고 작은 팬 수다(fan buzz)를 생성하고 연습생을 홍보하거나, 이슈를 만드는 역할을 한 워너원 온라인 팬덤(디시인사이드 워너원 갤러리 및 각 멤버의 마이너 갤러리, 네이트 판, 트위터, 공식 팬 카페, 카카오톡 오픈 채팅 등)을 오랜 기간 참여 관찰했다. 그리고 온라인 팬덤에 참여하는 팬들을 만나 심층 인터뷰를 진행했다. 〈프로듀스 101〉 시즌2가 방영된 2017년 4월부터 워너원이 데뷔한 이후 2018년 6월까지 약 1년 동안의 온라인 팬덤을 인터넷 참여 관찰을 통해 우선적으로 분석했다. 그리고 이들의 구체적인 경험과 1세대·2세대와의 비교 분석을 위해 워너원 온라인 팬덤에서 활동하고 있던 이들을 심층 면접했다.

31 _ 〈프로듀스 101〉 시즌2의 마지막 생방송 최종 투표에서 득표 순서대로 1등부터 11등까지의 연습생이 모여 결성된 그룹. 2017년 8월 7일 데뷔해 2019년 1월 27일까지 활동했다.

32 _ 서병기, 〈JBJ, '꽃이야'로 데뷔 101일 만에 지상파 음악 방송 1위〉, 《헤럴드경제》, 2018. 1. 27.

33 _ 마크 더핏(김수정 譯), 《팬덤 이해하기》, 한울, 2016, 36쪽.

34 _ 젠킨스는 〈아메리칸 아이돌〉을 분석하면서 이 프로그램이 생방송의 흥분과 재미를 부각하기 위해 팬들의 참여를 유도하고 팬 수다를 만들어 내는 트랜스미디어 스토리텔링 전략을 실천했다고 봤다. 〈프로듀스 101〉 역시 이와 유사한 전략을 취했지만, 본질적으로는 아이돌 그룹을 만들기 위한 프로젝트이기 때문에 젠킨스가 분석했던 서바이벌 프로그램과는 다소 결이 다르다. 특히 한국의 아이돌 팬덤은 미국의 서바이벌 프로그램 팬덤(혹은 미디어 팬덤)과는 다른 양상의 팬덤 현상을 만들어 내기 때문에, 이러한 트랜스미디어 스토리텔링 전략은 한국판 아이돌 팬덤과 절합(articulation)되면서 다른 의미들을 발생시켰다.

35 _ 차우진·최지선, 〈한국 아이돌 그룹의 역사와 계보, 1996~2010년〉, 《아이돌》, 이매진, 2011.

36 _ Henry Jenkins, 《Textual poachers: Television fans and participatory culture》, Routledge, 1992, pp.117-122.

37 _ Henry Jenkins, 《Textual poachers: Television fans and participatory culture》, Routledge, 1992, p.120.

38 _ 젠킨스는 누구도 모든 것을 알 수는 없지만, 우리 각자는 무언가를 조금씩은 알고 있다는 점을 지적하며 따라서 우리 각자가 알고 있는 지식의 자원을 끌어오고, 기술이 이들을 결합한다면 모든 지식은 인류 내에 존재한다고 주장했다. 이러한 지점에서 집단 지성은 개별 구성원들이 지닌 지식의 한계를 뛰어넘는 공동체 전체의 향상된 지식 공간이 되고, 기존의 국민 국가나 상품 자본주의 권력 등과 나란히 할 수 있는 새로운 권력의 형태가 될 수 있다.

헨리 젠킨스(김정희원·김동신 譯),《컨버전스 컬처》, 비즈앤비즈, 2008.

39 _ 원용진·김지만,〈사회적 장치로서의 아이돌 현상〉,《대중서사연구》, 18(2), 2012, 324쪽.

40 _ 워너원이 3번째 앨범 컴백을 앞두고 '스타 라이브'라는 실시간 생방송을 준비하던 중 방송이 시작되기 전 대기실의 모습이 그대로 나갔던 방송 사고를 말한다.

41 _ 새 글을 올려서 대화하는 방식이 아니라, 게시글 하나에서 댓글로 이야기를 이어 간다는 뜻이다.

42 _ 피에르 레비(권수경 譯),《집단 지성: 사이버 공간의 인류학을 위하여》, 문학과 지성사, 2002.

43 _ 워너원의 막내 멤버가 타이틀곡 분량이 유독 작거나, 예능 등의 출연이 유독 없자 팬들이 트위터를 통해 분량 확보를 요구하며 벌인 해시태그 운동이다.

44 _ 정민우·이나영,〈스타를 관리하는 팬덤, 팬덤을 관리하는 산업: '2세대' 아이돌 팬덤의 문화 실천의 특징 및 함의〉,《미디어, 젠더 & 문화》, 12, 2009.
김수아,〈소셜 웹 시대 팬덤 문화의 변화〉,《사이버커뮤니케이션학보》, 31(1), 2014, 82쪽.

45 _ 헨리 젠킨스(정현진 譯),《팬, 블로거, 게이머》, 비즈앤비즈, 2008.

46 _ Henry Jenkins,《Textual poachers: Television fans and participatory culture》, Routledge, 1992.

47 _ 올팬과 개인 팬 성향의 정도를 확인하기 위해 인터뷰 대상자에게 개인 팬 성향 척도를 만들어 질문했다. 1에 가까울수록 올팬, 5에 가까울수록 개인 팬 성향이다. 팬 성향 척도는 다음과 같다.
① 올팬이다(모든 멤버를 다 똑같이 좋아하고, 다 똑같이 관심이 있다).
② 그룹을 다 좋아하지만 최애가 있다(하지만 그 '최애'를 표현하는 일은 마음에 꺼린다).
③ 그룹을 좋아하고, '최애'를 표현할 수 있다('최애'가 있어서 그룹이 좋아진 경우다).
④ 최애만 보인다(개인 팬 성향이 강하다. 다른 멤버는 신경 쓰이지 않는다).

⑤ 완전한 '개인 팬'이다(다른 멤버와 내 '최애'는 경쟁 관계다).

48_ 헨리 젠킨스(정현진 譯),《팬, 블로거, 게이머》, 비즈앤비즈, 2008, 13쪽.

49_ 존 피스크, 〈팬덤의 문화 경제학〉,《문화, 일상, 대중》, 한나래, 2012.

50_ 동방신기의 경우, 멤버 탈퇴설이 돌자 팬들이 '5-1=0'이라는 슬로건을 들고 공개 방송에 참여하는 등 멤버 5명의 영원한 지지를 뜻하는 운동이 벌어지기도 했다. 이민희,《팬덤이거나 빠순이거나》, 알마, 2013.

51_ 김수아, 〈연결 행동? 아이돌 팬덤의 트위터 해시태그 운동의 명암〉,《문화와 사회》, 25, 2017, 326쪽.

52_ 고혜리·양은경, 〈남성 아이돌 그룹의 여성 혐오 논란과 여성 팬덤의 분열〉,《한국콘텐츠학회논문지》, 17(8), 2017, 506-519쪽.

53_ 이런 사회적, 미학적 구별의 정도는 학생 팬과 성인 팬, 혹은 장소에 따라 차이가 있을 수 있다. 학생 팬들은 또래 집단과 함께 팬 정체성의 표현을 확실하게 보인다. 헤어스타일을 따라 하고, 부채나 필기구, 우비 등의 물품을 사용하면서다. 반면 성인 팬들은 '일반인 코스프레'라고 불리는 방식으로 의도적으로 구별을 행하지 않기도 한다. 또한 콘서트 등의 환경에서와 달리 팬 개인의 일상생활에서는 구별이 일어나지 않기도 한다.

54_ 존 피스크, 〈팬덤의 문화 경제학〉,《문화, 일상, 대중》, 한나래, 2012, 192-195쪽.

55_ 트위터에서 사용된 표현을 빌린 서술이다.

56_ 김수아, 〈연결 행동? 아이돌 팬덤의 트위터 해시태그 운동의 명암〉,《문화와 사회》, 25, 2017.

57_ Lance W. Bennett and Alexandra Segerberg, 2012, 김수아, 〈연결 행동? 아이돌 팬덤의 트위터 해시태그 운동의 명암〉,《문화와 사회》, 25, 2017, 301쪽에서 재인용.

58 _ 로엔 엔터테인먼트는 이후 카카오M으로 사명을 변경했고, CJ E&M은 CJ 오쇼핑과 합병하면서 CJ ENM으로 사명이 변경되었다.

59 _ 김수정·김수아, 〈해독 패러다임을 넘어 수행 패러다임으로 – 팬덤 연구의 현황과 쟁점〉, 《한국방송학보》, 29(4), 2015. 33-91쪽.

60 _ 정민우·이나영, 〈스타를 관리하는 팬덤, 팬덤을 관리하는 산업: '2세대' 아이돌 팬덤의 문화 실천의 특징 및 함의〉, 《미디어, 젠더 & 문화》, 12, 2009. 191-240쪽.

61 _ 워너원 각 멤버들의 소속사 이름을 대입해 그 멤버가 소속사를 나와야 한다는 의미로 사용하는 단어.

62 _ 헨리 젠킨스(김정희원·김동신 譯), 《컨버전스 컬처》, 비즈앤비즈, 2008. 410쪽.

63 _ Henry Jenkins, 2008. 마크 더핏(김수정 譯), 《팬덤 이해하기》, 한울, 2016. 51쪽에서 재인용.

64 _ 박가영, 〈워너원, 공중파 바로 입성했다…강다니엘 '이불 밖은 위험해' 출연〉, 《탑스타뉴스》, 2017. 7. 19.

65 _ 마크 더핏(김수정 譯), 《팬덤 이해하기》, 한울, 2016. 51쪽.

66 _ Matt Hills, 2002. 마크 더핏(김수정 譯), 《팬덤 이해하기》, 한울, 2016. 52쪽에서 재인용.

67 _ 헨리 젠킨스(정현진 譯), 《팬, 블로거, 게이머》, 비즈앤비즈, 2008.

68 _ 트위터와 디시인사이드 갤러리는 최근 팬덤이 주로 활동하는 커뮤니티다. 과거에는 주로 회원제 커뮤니티나 홈페이지, '파'나 '팸'을 이룬 이들끼리 모여 카페 등을 만들어서 활동했었다.

69 _ 권지현·김명혜, 〈디시인사이드 '주군의 태양' 갤러리 구성원 유형화를 통한 인터넷 팬 커뮤니티 권력 관계 특성 연구〉, 《언론학연구》, 18(3), 2014. 5-48쪽.

70 _ 피에르 부르디외, 1994, 권지현 · 김명혜, 〈디시인사이드 '주군의 태양' 갤러리 구성원 유형화를 통한 인터넷 팬 커뮤니티 권력 관계 특성 연구〉, 《언론학연구》, 18(3), 2014, 12-13쪽에서 재인용.

71 _ 이헌율 · 지혜민, 〈팬덤 내의 계층 구별에 대한 연구 - 트위터와 팬 생산자를 중심으로〉, 《미디어, 젠더 & 문화》, 30(4), 2015, 5-40쪽.

72 _ 김수수, 《EXO 플라네타: 진화하는 아이돌 행성 탐사》, 이야기공작소, 2015, 136쪽.

73 _ 정민우 · 이나영, 〈스타를 관리하는 팬덤, 팬덤을 관리하는 산업: '2세대' 아이돌 팬덤의 문화 실천의 특징 및 함의〉, 《미디어, 젠더 & 문화》, 12, 2009, 191-240쪽.

74 _ 이와 관련해 대중음악 칼럼니스트 위근우는 어느 정도 규모의 팬덤을 확보한 그룹이 아닌 이상 각 팬덤은 게토(Ghetto)화된다고 표현하기도 했다. 아이돌로 데뷔를 한 이후에도 인지도와 수익을 보장받을 수 없는 시대에는 엔터테인먼트 시장에서 살아남기 위해 열심히 연기나 예능과 같은 개인 활동을 해야 하고, 이러한 아이돌 멤버들은 신자유주의 시대의 '비정규직 파트타임 근무자' 같다고 비유하기도 했다.
위근우, 〈아이돌 각자도생의 시대〉, 《iZE》, 2014. 11. 19.

75 _ 오요, 〈2015 데뷔 신인 통계〉, 아이돌로지 편집부, 《2015 아이돌 연감》, 아이돌로지, 2016, 173쪽.

76 _ 하박국, 〈CJ E&M이 서바이벌 오디션으로 음악 산업을 지배하는 법〉, 《iZE》, 2015. 10. 23.

77 _ 걸 그룹 라붐은 뮤직비디오 제작 펀딩 프로젝트를 2016년 2월 15일부터 4월 4일까지 진행했다. 목표 금액은 1000만 원이었지만, 2000만 원이 넘는 금액이 모였다. 이 밖에도 타히티, 스텔라 등 몇몇 걸 그룹이 글로벌 크라우드 펀딩 플랫폼 '메이크스타'를 통해 앨범을 제작하는 프로젝트를 진행했다. 대부분 목표액 1000만 원을 넘겼고, 특히 스텔라는 4000만 원을 달성했다. 이 밖에도 메이크스타는 팬 미팅(콘서트, 사인회 등), 화보집 등의 프로젝트를 진행하고 있는데, 아스트로, EXID 등이 참여했다. 또 2019년 5월에는 〈프로듀스 101〉 시즌2에 출연했던 장문복, 성현우, 윤희석과 〈믹스나인〉에 출연했던 이휘찬으로 구성된 '리미트리스'가 데뷔를 위한 응원 모금 프로젝트를 진행했다.

고예린, 〈아이돌이 팬에게 제작비를 모을 때〉, 《iZE》, 2016. 3. 24.

78 _ 김준모, 〈입덕 장벽이 높은 남녀 아이돌 그룹, NCT와 이달의 소녀〉, 《루나글로벌 스타》, 2018. 7. 6.

79 _ 강명석·김윤하·미묘, 〈2017년의 기억 vol.2〉, 《W korea》, 2017. 12. 12.

80 _ 정민우·이나영, 〈스타를 관리하는 팬덤, 팬덤을 관리하는 산업: '2세대' 아이돌 팬덤의 문화 실천의 특징 및 함의〉, 《미디어, 젠더 & 문화》, 12, 2009.

81 _ 추영준, 〈모모랜드 성공 비결 "꾸준한 공격적 마케팅 전략 주효"〉, 《세계일보》, 2018. 2. 8.

82 _ 이다혜, 〈모모랜드, 음악 방송 3관 · 차트 역주행…대세 걸 그룹 된 비결〉, 《아시아투데이》, 2018. 2. 9.

북저널리즘 인사이드　　가장 적극적인 소비자가
　　　　　　　　　　　　　　　　원하는 것

팬덤은 가장 적극적인 소비자다. 좋아하는 것에 대한 애정을 열정적으로 표현하고, 집중적으로 소비한다. 3세대 팬덤은 한 걸음 더 나아간다. 취향에 맞는 스타를 만들어 내고, 전략을 세워 홍보한다. 소비자로서 자신이 상품의 주인이 되기를 바라며 의견을 피력한다. 이들의 의견은 아이돌 산업에 실제로 반영되고, 팬들은 그만큼 스타와 긴밀하게 연결되어 있다고 느낀다.

팬들은 스타를 성공시키기 위해 다양한 전략을 구사한다. 음원 사이트의 순위 집계에 최적화된 스트리밍 방식을 찾아내고 '스밍단'을 꾸려 조직적으로 음원 순위를 올린다. 스타가 광고하는 제품을 구매하는 것은 물론, 광고주가 성과를 확인하는 방식을 고려해 후기 글을 작성하기도 한다. 적극적인 소비를 넘어 자신이 만든 아이돌을 대중에게 홍보하는 활동이다.

스타로부터 독립된 시각에서 신념을 표현하는 경우도 늘고 있다. 스타와 관련된 이슈가 발생하면 소신에 따라 사안을 판단한다. 3세대 팬덤을 대표하는 워너원 팬덤은 워너원과 관련된 논란이 발생했을 때 무조건 스타를 감싸거나 논란을 축소하려 하지 않고, 사건에 대한 판단을 먼저 내린 후 행동했다. 스타에 대한 애정보다 자신의 신념이 중요하다는 태도다.

이런 팬덤의 모습은 새로운 소비자의 태도를 고스란히 보여 준다. 새로운 소비자들은 애정 표현에도, 비판에도 적극적이다. 지지하는 기업 혹은 상품에는 아낌없는 성원을 보낸다. 최근에는 영화를 응원하기 위해 관람하지 않더라도 티켓을 사는 '영혼 보내기'가 화제가 됐다. 마음에 드는 상품을 구매하는 데에서 그치는 것이 아니라, 상품과 기업의 가치를 스스로 판단한 후 지지한다면 소비자 운동의 차원에서 대대적인 소비와 홍보를 이끌어 내는 것이다.

기업이 부적절한 방식으로 영업하거나 가치관에 맞지 않는 광고를 게시하면 문제를 제기한다. 피드백이 오지 않을 경우 불매 운동을 벌이기도 한다. '대리점 갑질' 논란으로 불매 운동의 대상이 된 남양유업이나 사내 성폭행 사건에 대한 대처 문제로 논란이 된 한샘 등이 대표적이다. 온라인 쇼핑몰 임블리 역시 VIP 소비자의 반발로 사업에 큰 타격을 입었다.

상품의 '주인'을 자임하는 새로운 소비자들은 강력하게 의견을 밝히고 요구한다. 그리고 이런 요구를 들어주는 기업을 유능하다고 평가하고, 그렇지 않으면 무능한 것으로 여긴다. 소비자들이 어떤 생각을 하는지, 이들 사이에 자리 잡은 문화는 무엇인지 파악해야 하는 이유다. 팬덤은 적극적인 소비자의 전형이고, 상품에 대한 애정이 가장 큰 소비자이자 행동주의 문화를 만들어 가는 주체다. 팬덤 문화의 변화에서 소비자의 인식 변화를 가장 먼저 읽을 수 있다.

소희준 에디터